KIDS 키즈 **사고력** 수학 **전문가**가 만든

원리셈

빼어 세기

사고력 수학 전문가가 만든 연산 교재
원리로부터 실력까지 연산의 완성!!
다양한 형태의 문제로 재미있게 연습하는 원리셈

지은이의 말

수학은 원리로부터

수학은 구체물의 관계를 숫자와 기호의 약속으로 나타내는 추상적인 학문입니다. 이 점이 아이들이 수학을 어려워하는 가장 큰 이유입니다. 이러한 수학은 제대로 된 이해를 동반할 때 비로소 힘을 발휘할 수 있습니다. 수학은 어느 단계에서나 원리가 가장 중요합니다.

수학 교육의 변화

답을 내는 방법만 알아도 되는 수학 교육의 시대는 지나고 있습니다. 연산도 한 가지 방법만 반복 연습하기 보다 다양한 풀이 방법이 중요합니다. 교과서는 왜 그렇게 해야 하는지 가르쳐 주고 다양한 방법을 생각하도록 하지만, 학생들은 단순하게 반복되는 연습에 원리는 잊어버리고 기계적으로 답을 내다보니 응용된 내용의 이해가 부족합니다.

연산 학습은 꾸준히

유초등 학습 단계에 따라 4권~6권의 구성으로 매일 10분씩 꾸준히 공부할 수 있습니다. 원리와 다양한 방법의 학습은 그림과 함께 재미있게, 연습은 다양하게 진행하되 마무리는 집중하여 진행하도록 했습니다. 부담 없는 하루 학습량으로 꾸준히 공부하다 보면 어느새 연산 실력이 부쩍 늘어난 것을 알 수 있습니다.

개정판 원리셈은

동영상 강의 확대/초등 고학년 원리 학습 과정 강화 등으로 원리와 개념, 계산 방법을 더 쉽게 이해할 수 있도록 하고, 연습을 강화하여 학습의 완성도를 더했습니다.

학부모님들의 연산 학습에 대한 고민이 원리셈으로 해결되었으면 하는 바람입니다.

지은이 천종현

원리셈의 특징

원리셈의 학습 구성

한 권의 책은 매일 10분 / 매주 5일 / 4주 학습

원리셈의 시나브로 강해지는 학습 알고리즘

키즈 원리셈은

시작은 원리의 이해로부터, 마무리는 충분한 연습과 성취도 확인까지

체계적인 학습 구성

쉽게 이해하고 스스로 공부!
실수가 많은 부분은 별도로 확인하고 연습!
주제에 따라 실전을 위한 확장적 사고가 필요한 내용까지!
원리로 시작되는 단계별 학습으로 곱셈구구마저 저절로 외워진다고 느끼도록!

원리셈 전체 단계

키즈 원리셈

5·6세	
1권	5까지의 수
2권	10까지의 수
3권	10까지의 수 세어 쓰기
4권	모아 세기
5권	빼어 세기
6권	크기 비교와 여러 가지 세기

6·7세	
1권	10까지의 더하기 빼기 1
2권	10까지의 더하기 빼기 2
3권	10까지의 더하기 빼기 3
4권	20까지의 더하기 빼기 1
5권	20까지의 더하기 빼기 2
6권	20까지의 더하기 빼기 3

7·8세	
1권	7까지의 모으기와 가르기
2권	9까지의 모으기와 가르기
3권	덧셈과 뺄셈
4권	10 가르기와 모으기
5권	10 만들어 더하기
6권	10 만들어 빼기

초등 원리셈

1학년	
1권	받아올림/내림 없는 두 자리 수 덧셈, 뺄셈
2권	덧셈구구
3권	뺄셈구구
4권	□ 구하기
5권	세 수의 덧셈과 뺄셈
6권	(두 자리 수)±(한 자리 수)

2학년	
1권	두 자리 수 덧셈
2권	두 자리 수 뺄셈
3권	세 수의 덧셈과 뺄셈
4권	곱셈
5권	곱셈구구
6권	나눗셈

3학년	
1권	세 자리 수의 덧셈과 뺄셈
2권	(두/세 자리 수)×(한 자리 수)
3권	(두/세 자리 수)×(두 자리 수)
4권	(두/세 자리 수)÷(한 자리 수)
5권	곱셈과 나눗셈의 관계
6권	분수

4학년	
1권	큰 수의 곱셈
2권	큰 수의 나눗셈
3권	분모가 같은 분수의 덧셈과 뺄셈
4권	소수의 덧셈과 뺄셈

5학년	
1권	혼합 계산
2권	약수와 배수
3권	분모가 다른 분수의 덧셈과 뺄셈
4권	분수와 소수의 곱셈

6학년	
1권	분수의 나눗셈
2권	소수의 나눗셈
3권	비와 비율
4권	비례식과 비례배분

키즈 원리셈의 단계별 학습 목표

초등학교 입학 준비는 키즈 원리셈으로!!

키즈 원리셈 단계를 고를 때는 아이의 배경지식에 따라 아래의 학습 목표를 참고하세요.

5·6세 단계

수와 연산을 처음 접하는 아이들을 위한 단계
수를 익히고, 덧셈, 뺄셈을 이해
덧셈, 뺄셈 기호는 나오지 않지만, 덧셈, 뺄셈의 상황을 그림으로 제시
필기를 최소화 / 붙임 딱지 이용
매주 마지막 5일차에는 재미있게 사고력 키우기 "사고력 팡팡 "

6·7세 단계

10까지의 수를 알지만 덧셈, 뺄셈을 처음 하는 아이들을 위한 단계
1에서 20까지의 수를 익히면서 더하기 빼기 1, 2, 3
수를 똑바로 세면 덧셈, 거꾸로 세면 뺄셈이라는 것을 이해하고 연산에 이용
수 세기를 먼저 배운 후, 같은 개념을 덧셈, 뺄셈에 적용
10이 넘어가는 덧셈도 받아올림을 하는 것이 아니라 수의 순서로 이해

7·8세 단계

한 자리 덧셈, 뺄셈의 개념은 있지만 연습이 필요한 아이들을 위한 단계
초등 1학년 1학기 교과에 해당하는 내용
가르기와 모으기를 충분하게 연습하면서 속도와 정확성을 올릴 수 있는 단계
1권~4권은 가르기와 모으기를 연습한 후 덧셈, 뺄셈의 개념으로 확장하여 연습
5권은 받아올림, 6권은 받아내림의 원리를 아주 쉽게 풀어놓아서 받아올림과 받아내림을 처음 배우는 아이들에게 강추!!

5·6세 단계 구성과 특징

수를 처음 공부하는 단계입니다. 붙임 딱지를 붙이고, 그림을 보고 구체물을 세면서 놀이하듯 수를 익힙니다.
총 6권 중 2권까지는 숫자를 연필로 쓰지 않고 붙임 딱지를 이용하고 3권부터는 숫자를 쓰도록 합니다.

원리

그림을 보며 붙임 딱지를 붙이거나 ○를 그리면서 자연스럽게 수를 셀 수 있도록 하였습니다.

연습

손가락 세기, 엘리베이터의 버튼 붙이기 등 아이가 생활 속에서 쉽게 떠올릴 수 있는 소재들을 활용하여 다양하게 공부합니다.

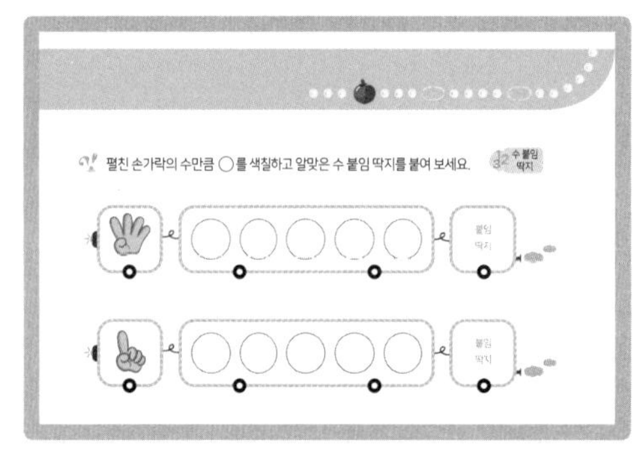

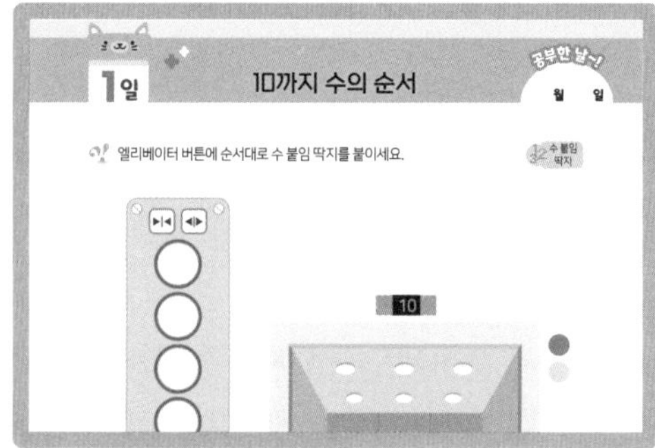

사고력 팡팡

매주의 마지막 5일차는 재미있게 사고력을 키울 수 있는 사고력 팡팡을 진행합니다. 수를 처음 배우는 단계이므로 어려운 내용보다는 직관적이고 재미있게 해결할 수 있도록 구성하였습니다.

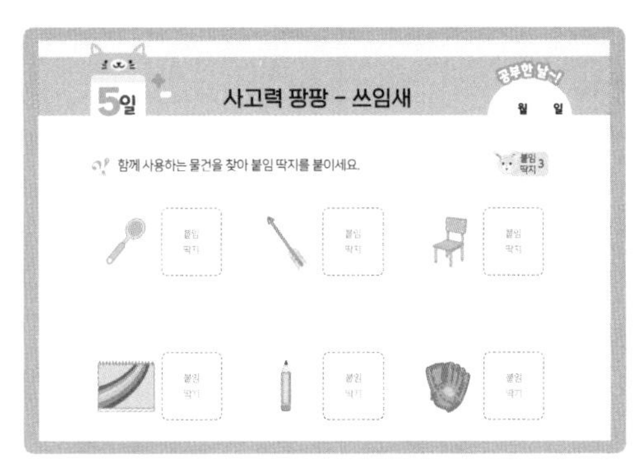

붙임 딱지

수를 처음 배우는 아이들이 붙임 딱지를 붙이면서 재미있게 수를 익힐 수 있도록 하였습니다.

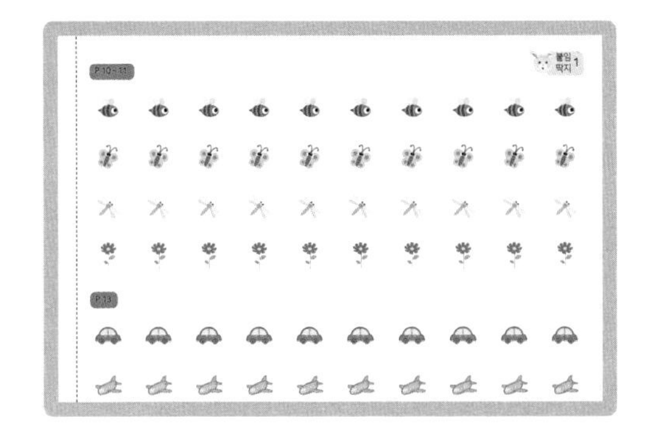

성취도 평가

개념의 이해와 연산의 수행에 부족한 부분은 없는지 성취도 평가를 통해 확인합니다.

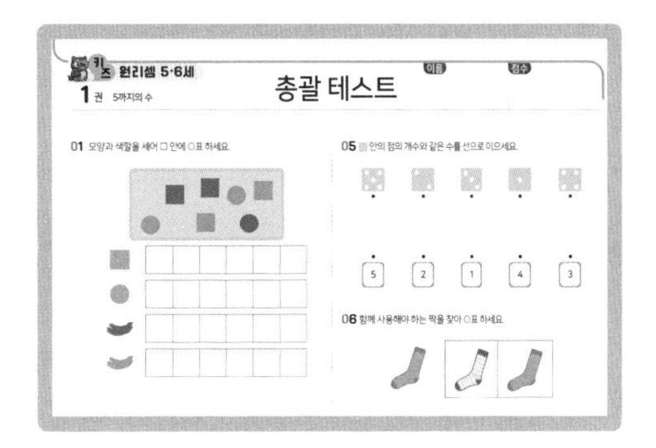

책의 사이사이에 학생의 학습을 돕기 위한 저자의 내용을 잘 이용하세요.

단원의 학습 내용과 방향

한 주차가 시작되는 쪽의 아래에 그 단원의 학습 내용과 어떤 방향으로 공부하는지를 설명해 놓았습니다.
학부모님이나 학생이 단원을 시작하기 전에 가볍게 읽어 보고 공부하도록 해 주세요.

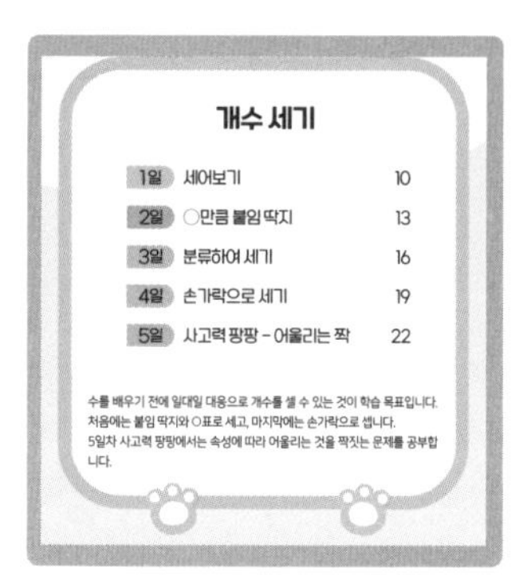

개수 세기

1일	세어보기	10
2일	○만큼 붙임 딱지	13
3일	분류하여 세기	16
4일	손가락으로 세기	19
5일	사고력 팡팡 - 어울리는 짝	22

수를 배우기 전에 일대일 대응으로 개수를 셀 수 있는 것이 학습 목표입니다.
처음에는 붙임 딱지와 ○표로 세고, 마지막에는 손가락으로 셉니다.
5일차 사고력 팡팡에서는 속성에 따라 어울리는 것을 짝짓는 문제를 공부합니다.

이해를 돕는 저자의 동영상 강의

공부를 시작하기 전에 표지의 QR코드를 확인하세요. 책의 학습 흐름과 목표, 그리고 그동안 원리셈을 먼저 공부한 아이들이 겪은 어려움에 대한 대처 방안 등을 설명해 줍니다.

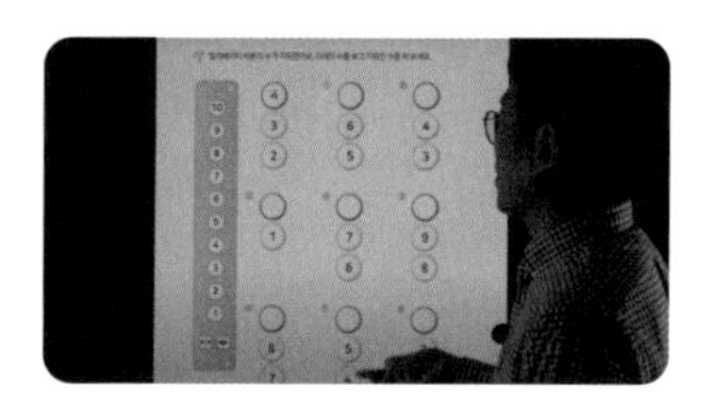

학습 Tip

간략한 도움글은 각 쪽의 아래에 있습니다.

천종현수학연구소 네이버 카페와 홈페이지를 활용하세요.

카페와 홈페이지에는 추가 문제 자료가 있고, 연산 외에서 수학 학습에 어려움을 상담 받을 수 있습니다.

네이버에서 천종현수학연구소를 검색하세요.

빼어 세기

수가 줄어드는 뺄셈에 대한 개념을 이해하고 수를 셀 수 있습니다. 먹거나 사라지는 상황에서 그림을 보고 남은 수를 세도록 합니다. 사고력 팡팡에서는 그림을 보고 제일 아래부터 차례로 놓인 도형을 찾습니다.

1일 5까지의 남은 물건의 개수

원숭이가 가지고 있던 바나나를 몇 개 먹었어요. 남은 바나나의 개수를 쓰세요.

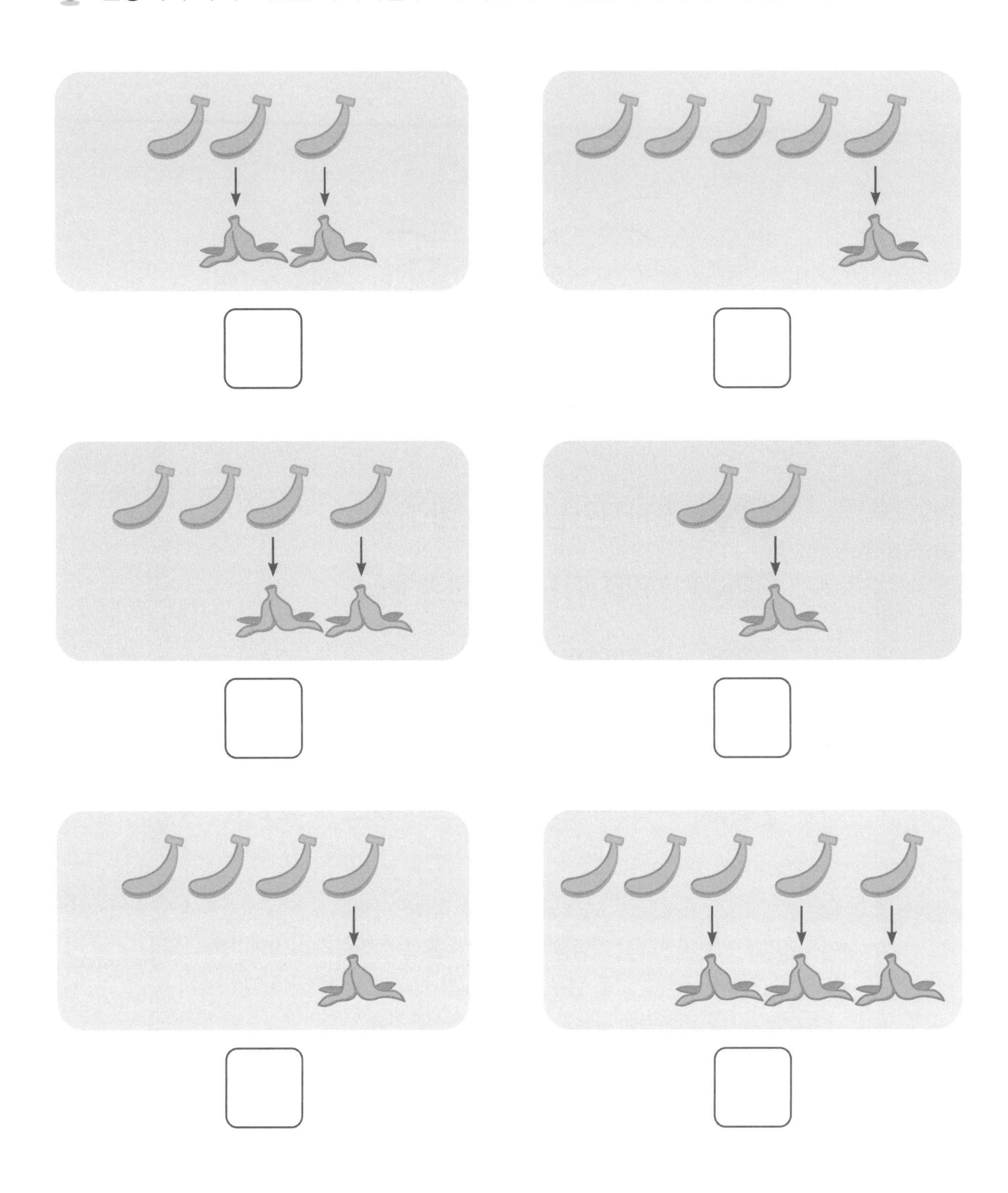

친구가 가지고 있던 사탕을 몇 개 먹었어요. 남은 사탕의 개수를 쓰세요.

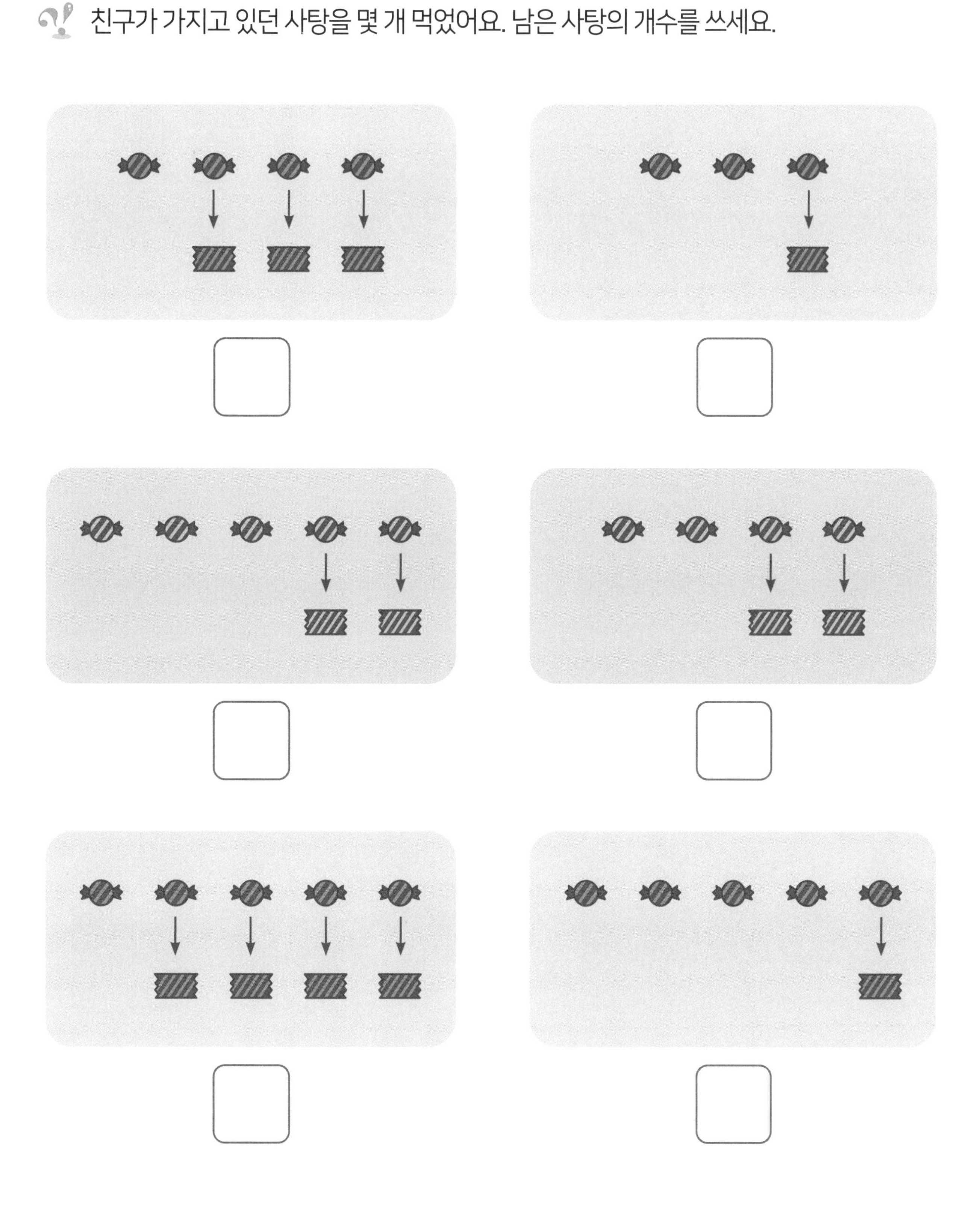

공원에서 놀던 비둘기 몇 마리가 날아갔어요. 땅에 남은 비둘기의 수에 ◯표 하세요.

10까지의 남은 물건의 개수

월 일

사과가 있었는데 몇 개를 먹었어요. 남은 사과의 개수를 쓰세요.

아이스크림을 사서 몇 개를 먹었어요. 남은 아이스크림의 개수를 쓰세요.

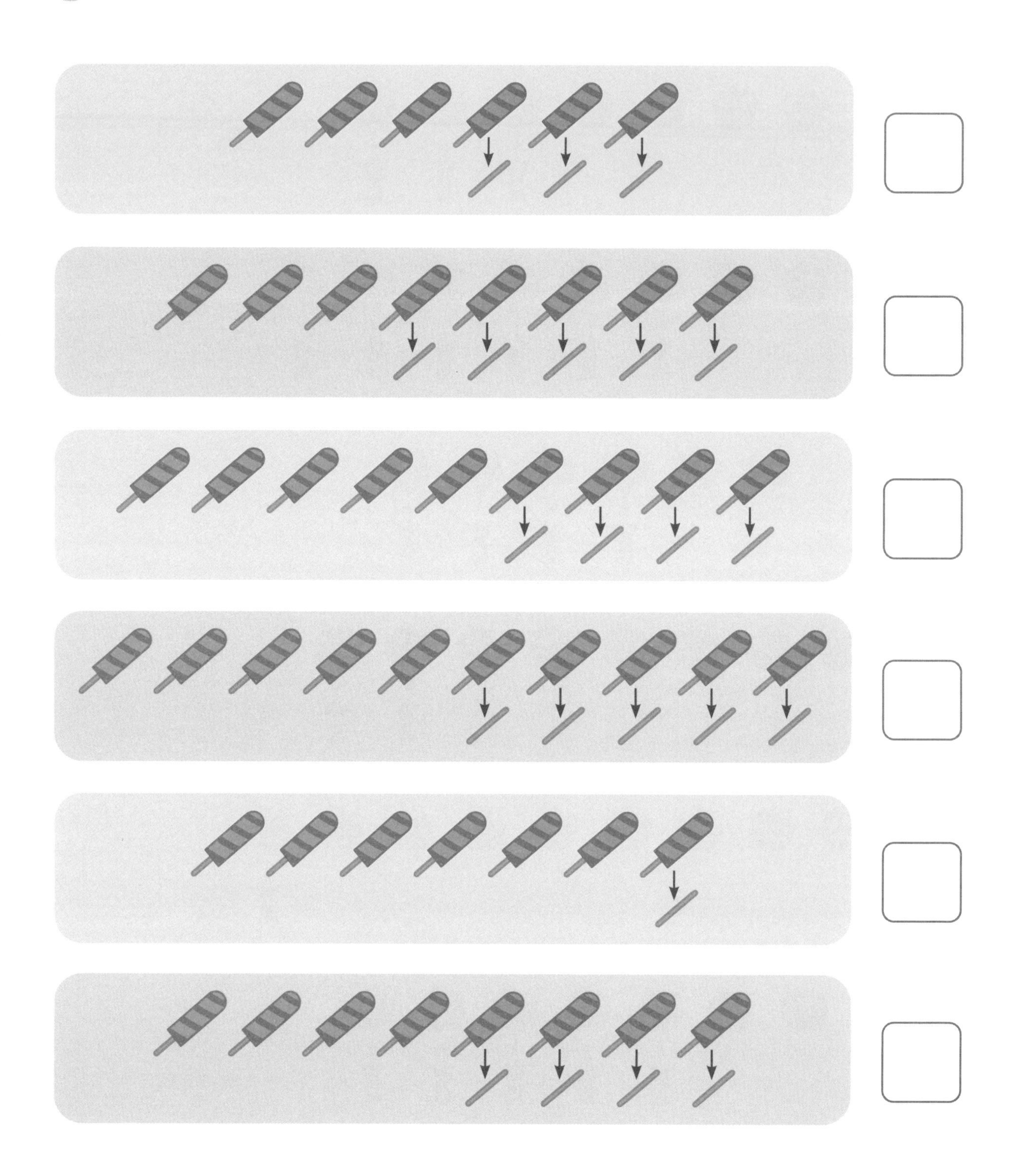

컵 아이스크림이 있었는데 몇 개를 먹었어요. 남은 아이스크림의 개수에 ◯표 하세요.

1	2	3	4	5
6	7	8	9	10

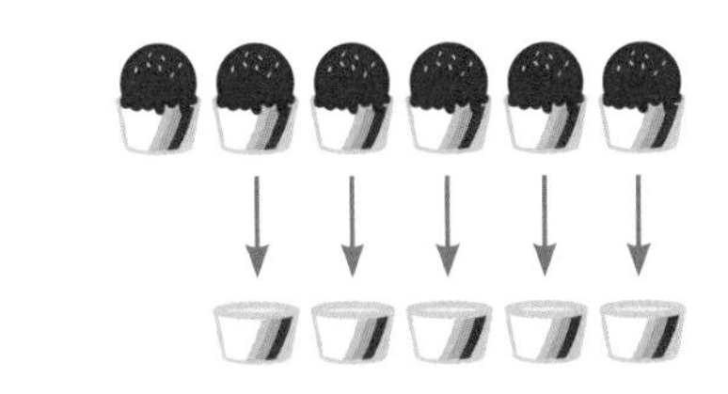

1	2	3	4	5
6	7	8	9	10

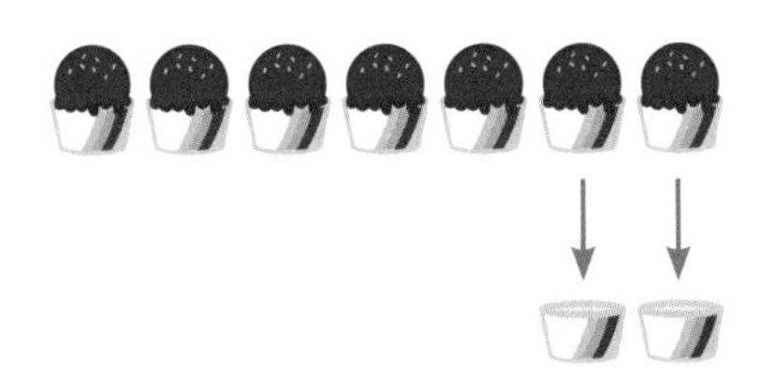

1	2	3	4	5
6	7	8	9	10

1	2	3	4	5
6	7	8	9	10

1	2	3	4	5
6	7	8	9	10

1	2	3	4	5
6	7	8	9	10

몇 개일까요?

엄마와 함께 문제를 읽고 알맞은 수를 쓰세요.

★ 포도를 6송이 가지고 있었는데 2송이를 먹었어요. 포도는 몇 송이가 남았을까요?

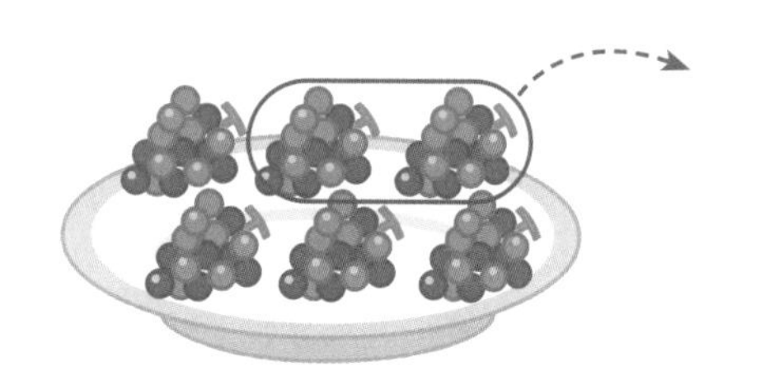

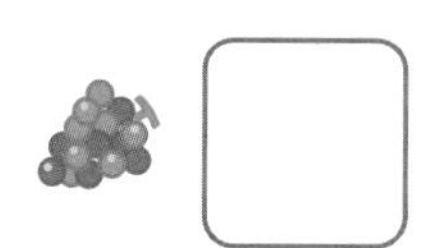

★ 구슬을 5개 가지고 있는데 동생에게 1개를 주었어요. 구슬은 몇 개가 남았을까요?

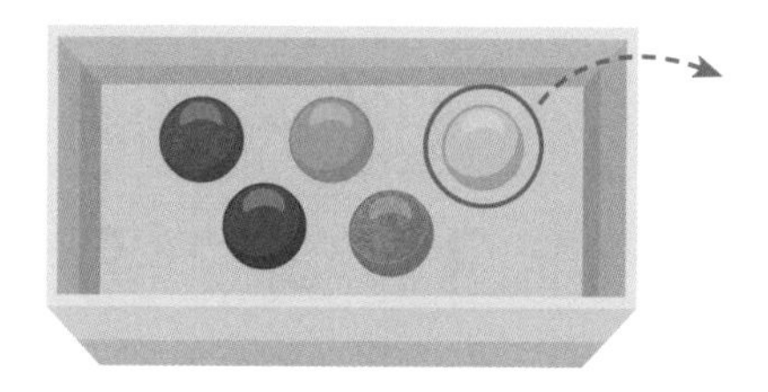

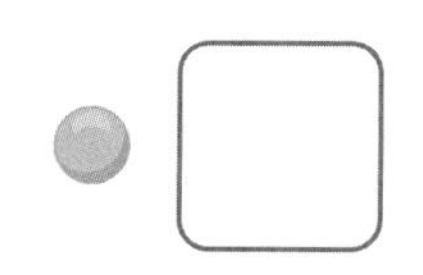

★ 사탕을 4개 가지고 있다가 4개를 먹었어요. 사탕은 몇 개가 남았을까요?

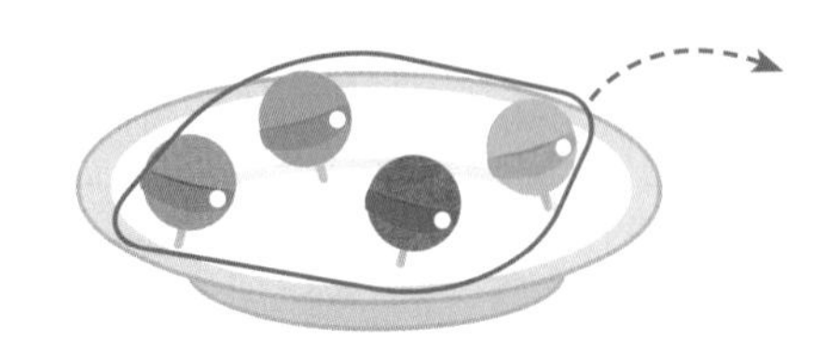

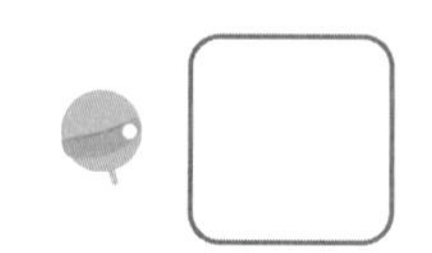

문제는 읽어 주고 상황을 생각하면서 그림을 보고 빼어 세도록 해 주세요.

엄마와 함께 문제를 읽고 알맞은 수를 쓰세요.

★ 연필이 7자루 있었는데 2자루를 친구에게 주었어요. 연필은 몇 자루가 남았을까요?

★ 7개의 지우개가 있었는데 3개는 모두 사용하였어요. 지우개는 몇 개가 남았을까요?

★ 색종이 8장이 있는데 3장은 종이 접기를 하였어요. 색종이는 몇 장이 남았을까요?

엄마와 함께 문제를 읽고 알맞은 수를 쓰세요.

★ 빵이 6개 있었는데 4개를 먹었어요. 빵은 몇 개가 남았을까요?

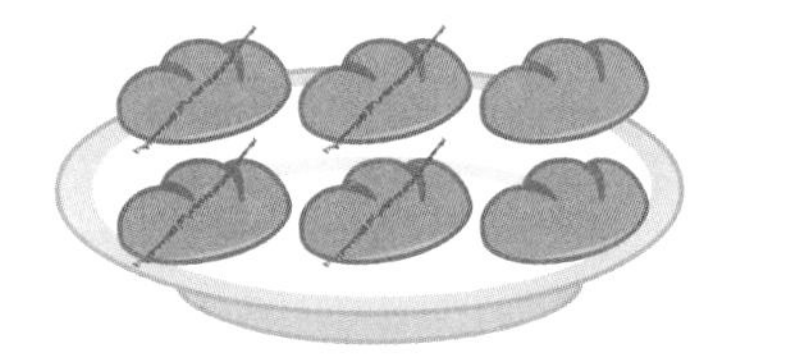

★ 도넛을 10개 사와서 10개를 먹었어요. 도넛은 몇 개가 남았을까요?

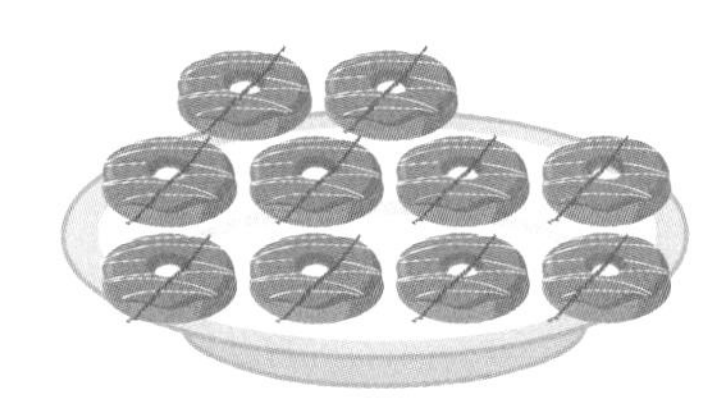

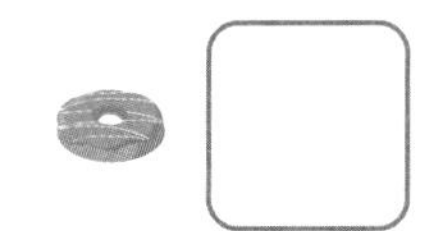

★ 색연필 8개가 있었는데 4개를 모두 사용하였어요. 색연필은 몇 개가 남았을까요?

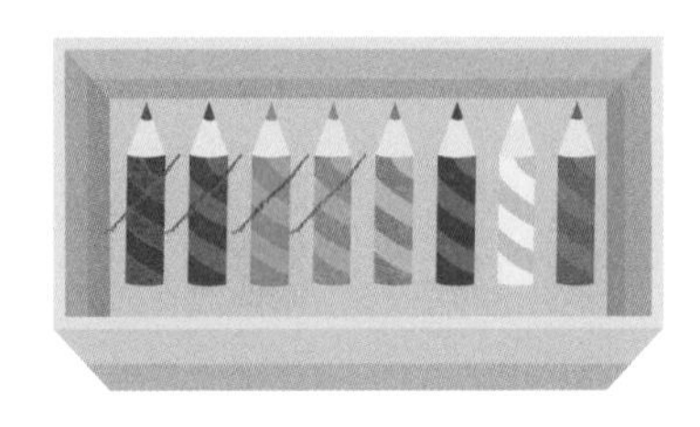

4일 수만큼 그림 지우기

월 일

왼쪽 수만큼 구슬에 X표 하고 남은 구슬의 개수를 쓰세요.

2

3

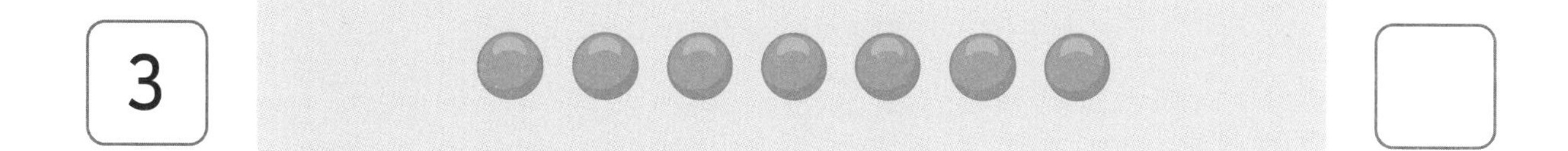

4

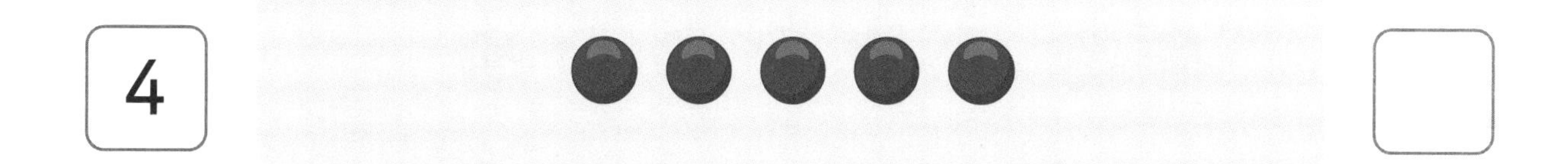

7

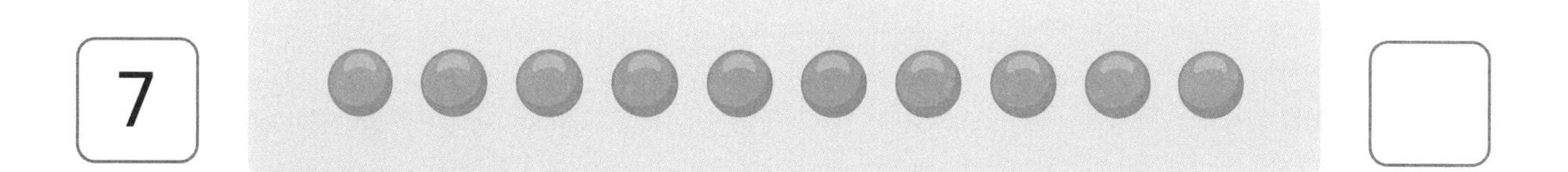

2

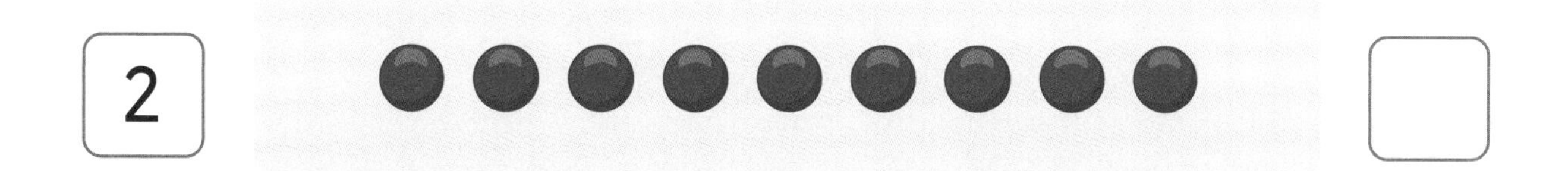

1

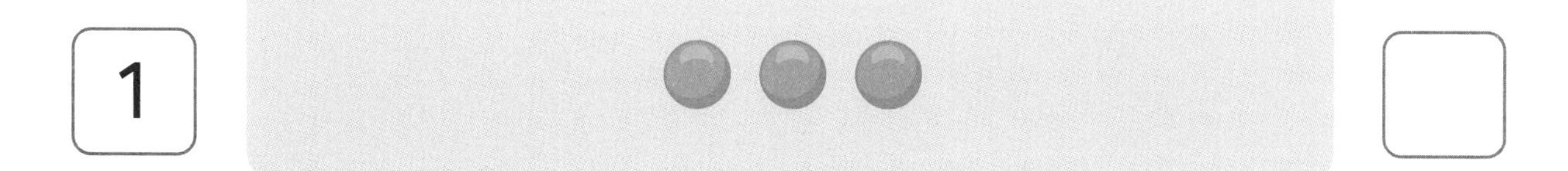

왼쪽 수만큼 사탕에 X표 하고 남은 사탕의 개수를 쓰세요.

3

1

7

2

1

3

도토리를 들고 길을 가던 다람쥐가 도토리 몇 개를 흘렸어요. 길에 적힌 도토리의 수만큼 X 표 하고 남은 도토리의 수에 ◯표 하세요.

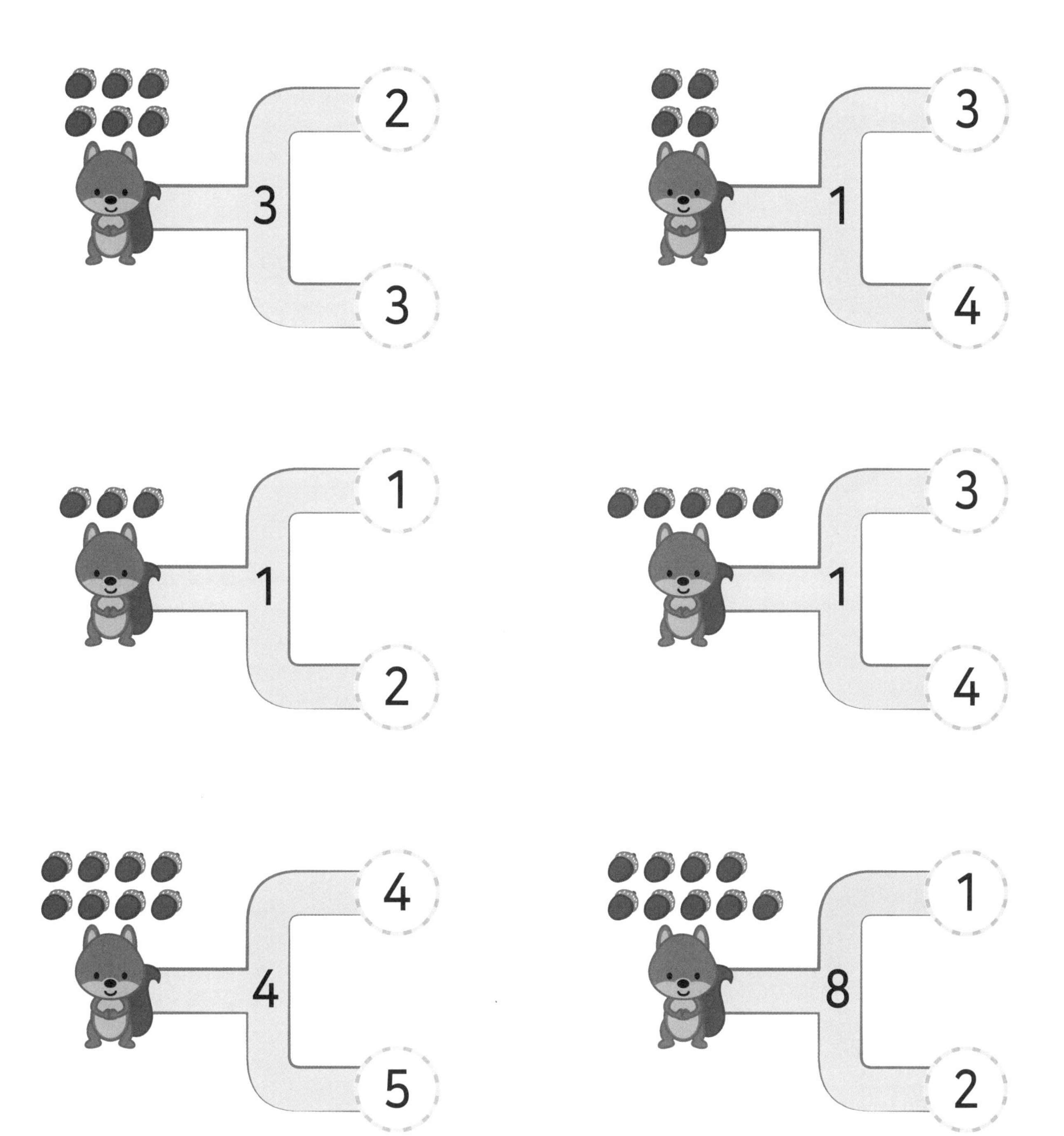

사고력 팡팡 - 차례로 차례로

가장 아래에 있는 색깔부터 차례를 생각하여 똑같이 보이도록 붙임 딱지를 붙이세요.

붙임 딱지 1

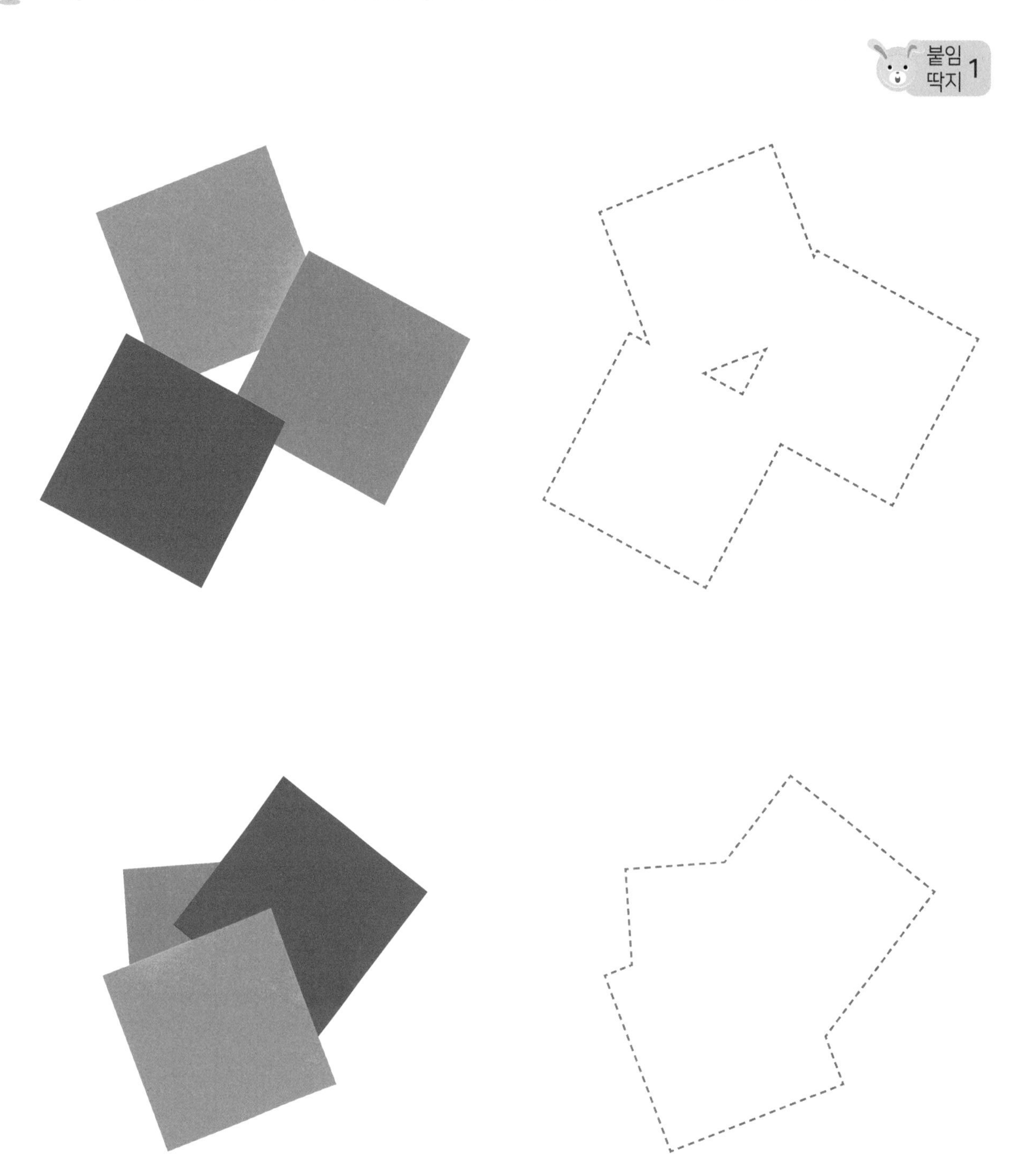

가장 아래에 있는 색깔부터 차례를 생각하여 똑같이 보이도록 붙임 딱지를 붙이세요.

붙임 딱지 1

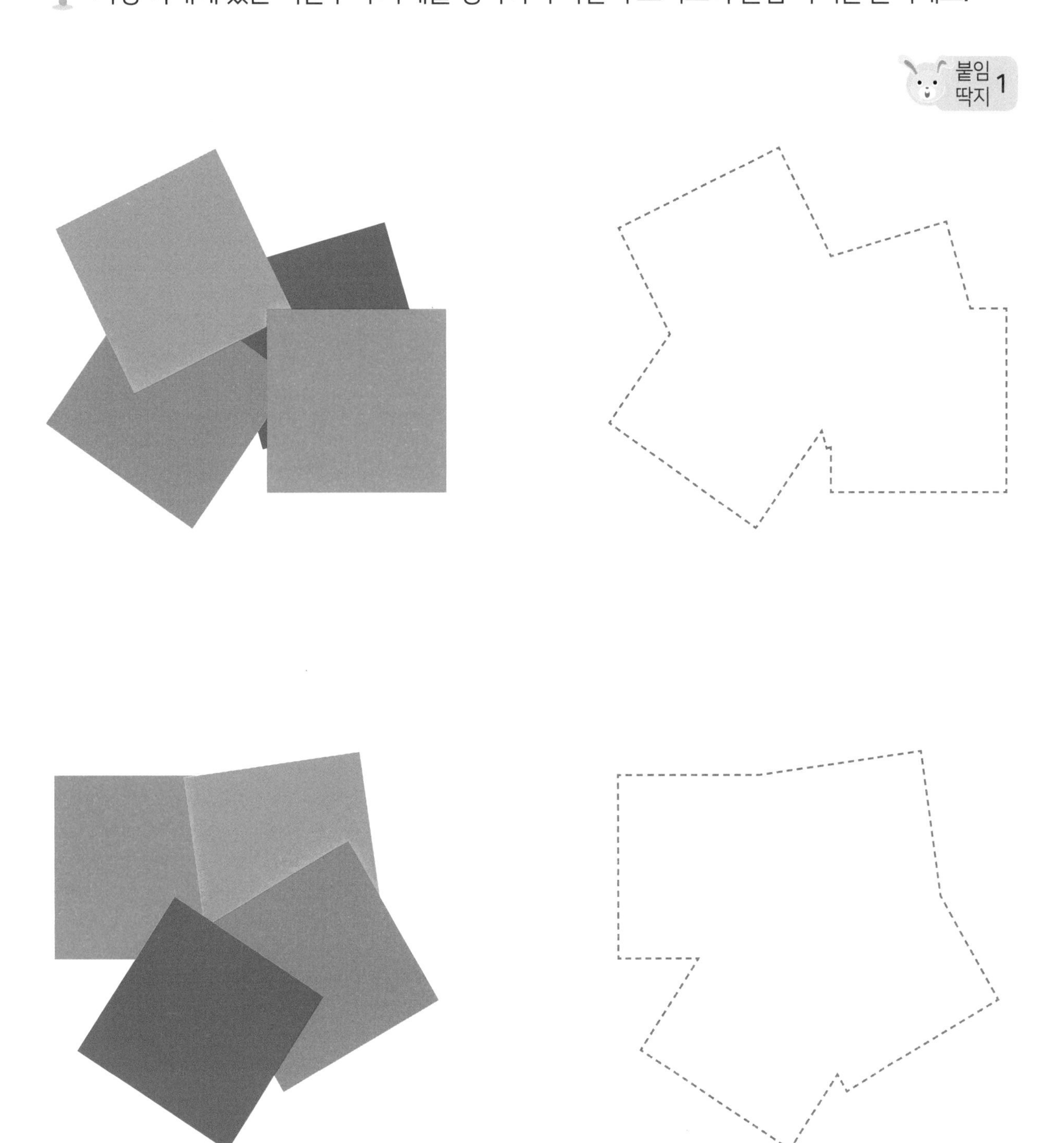

자전거의 각 부분을 붙이는 차례를 생각하여 똑같이 보이도록 붙임 딱지를 붙이세요.

붙임 딱지가 2개씩 있으니 아이가 혼자 해 보도록 한 후 잘못하면 함께 해 보세요.

두 수의 차이 세기

두 수의 차를 나타내는 뺄셈에 대한 개념을 이해하고 수를 셀 수 있습니다. 먹거나 사라지는 상황에서 그림을 보고 차를 구할 수 있습니다. 3일차에서는 직접 선을 그려서 1 대 1 대응을 하여 차를 구합니다.

1일

5까지의 줄어든 개수

원숭이가 가지고 있던 바나나를 몇 개 먹었어요. 남은 바나나를 보고 먹은 바나나의 개수를 쓰세요.

처음 바나나 -
남은 바나나 -

처음 바나나 -
남은 바나나 -

처음 바나나 -
남은 바나나 -

처음 바나나 -
남은 바나나 -

처음 바나나 -
남은 바나나 -

처음 바나나 -
남은 바나나 -

세영이가 가지고 있던 사탕을 몇 개 먹었어요. 남은 사탕을 보고 먹은 사탕의 개수를 쓰세요.

처음 사탕 -
남은 사탕 -

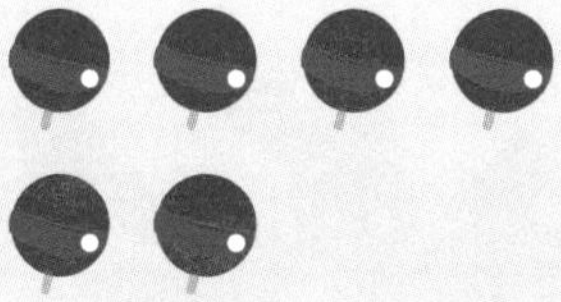

처음 사탕 -
남은 사탕 -

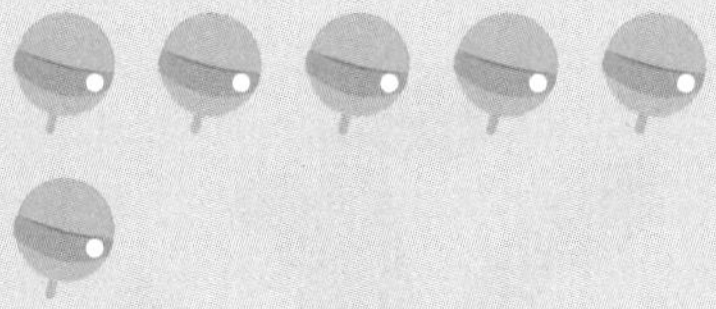

처음 사탕 -
남은 사탕 -

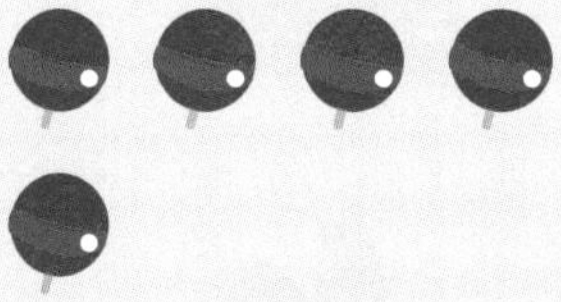

처음 사탕 -
남은 사탕 -

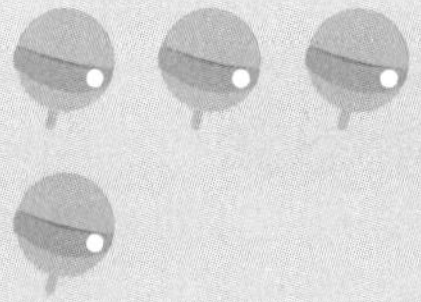

처음 사탕 -
남은 사탕 -

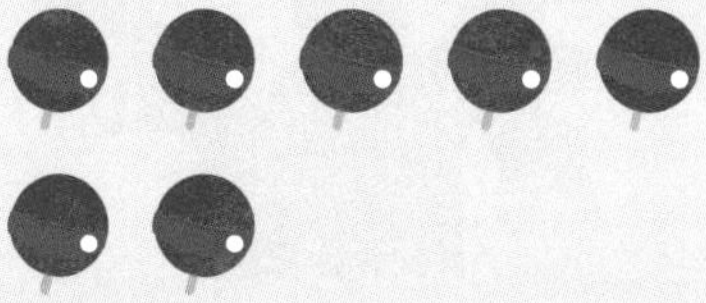

처음 사탕 -
남은 사탕 -

가을이 되어 나뭇잎이 떨어져 낙엽이 되었어요. 떨어진 나뭇잎의 개수를 쓰세요.

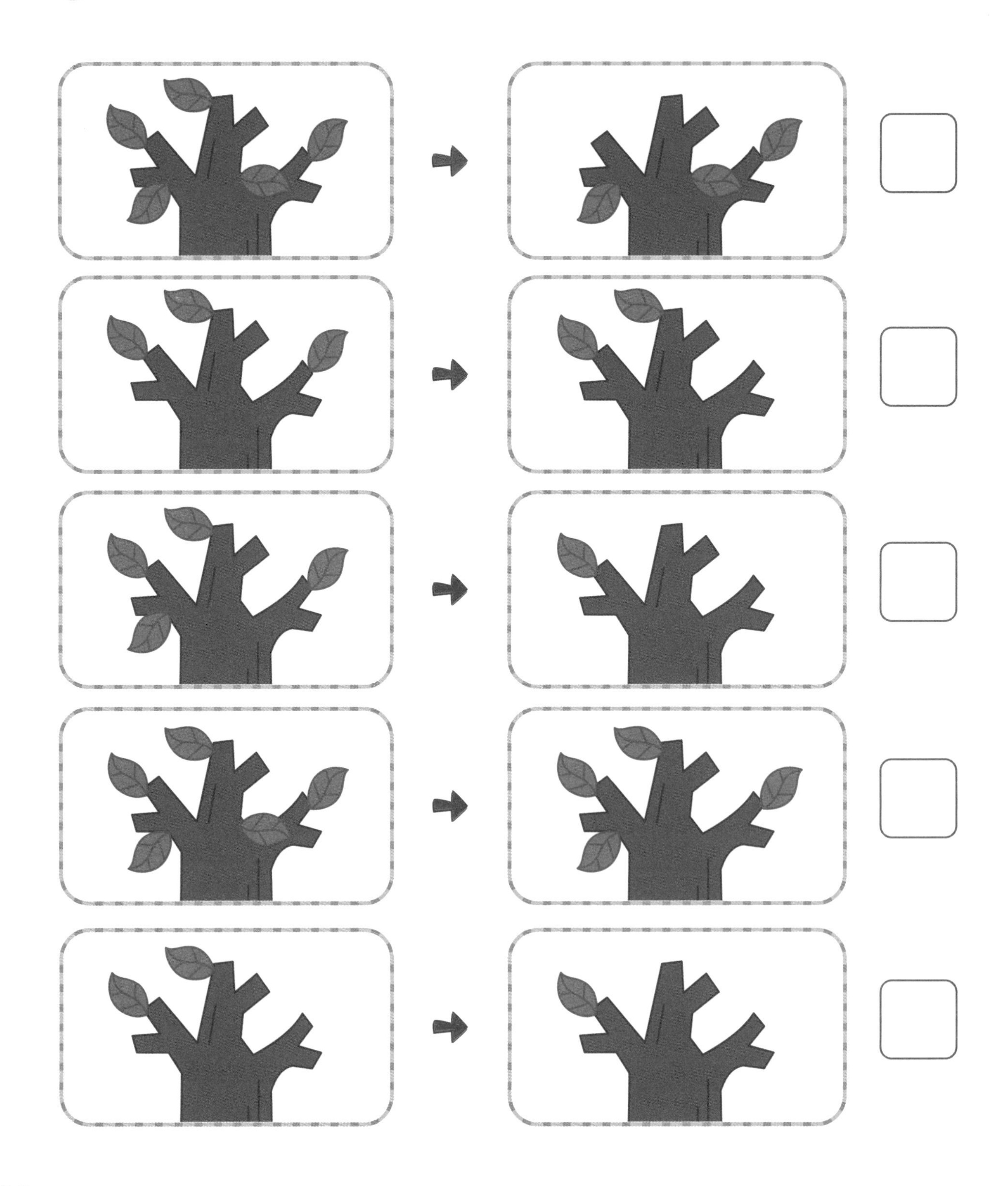

10까지의 줄어든 개수

사과가 있었는데 몇 개를 먹었어요. 남은 사과를 보고 먹은 사과의 개수를 쓰세요.

처음 사과 -
남은 사과 -

처음 사과 -
남은 사과 -

처음 사과 -
남은 사과 -

처음 사과 -
남은 사과 -

처음 사과 -
남은 사과 -

처음 사과 -
남은 사과 -

아이스크림을 사서 몇 개를 먹었어요. 남은 아이스크림을 보고 먹은 아이스크림의 개수를 쓰세요.

처음 아이스크림 -
남은 아이스크림 -

처음 아이스크림 -
남은 아이스크림 -

처음 아이스크림 -
남은 아이스크림 -

처음 아이스크림 -
남은 아이스크림 -

처음 아이스크림 -
남은 아이스크림 -

처음 아이스크림 -
남은 아이스크림 -

파란색 블록과 빨간색 블록 중에서 더 많은 것이 몇 개 많은지 쓰세요.

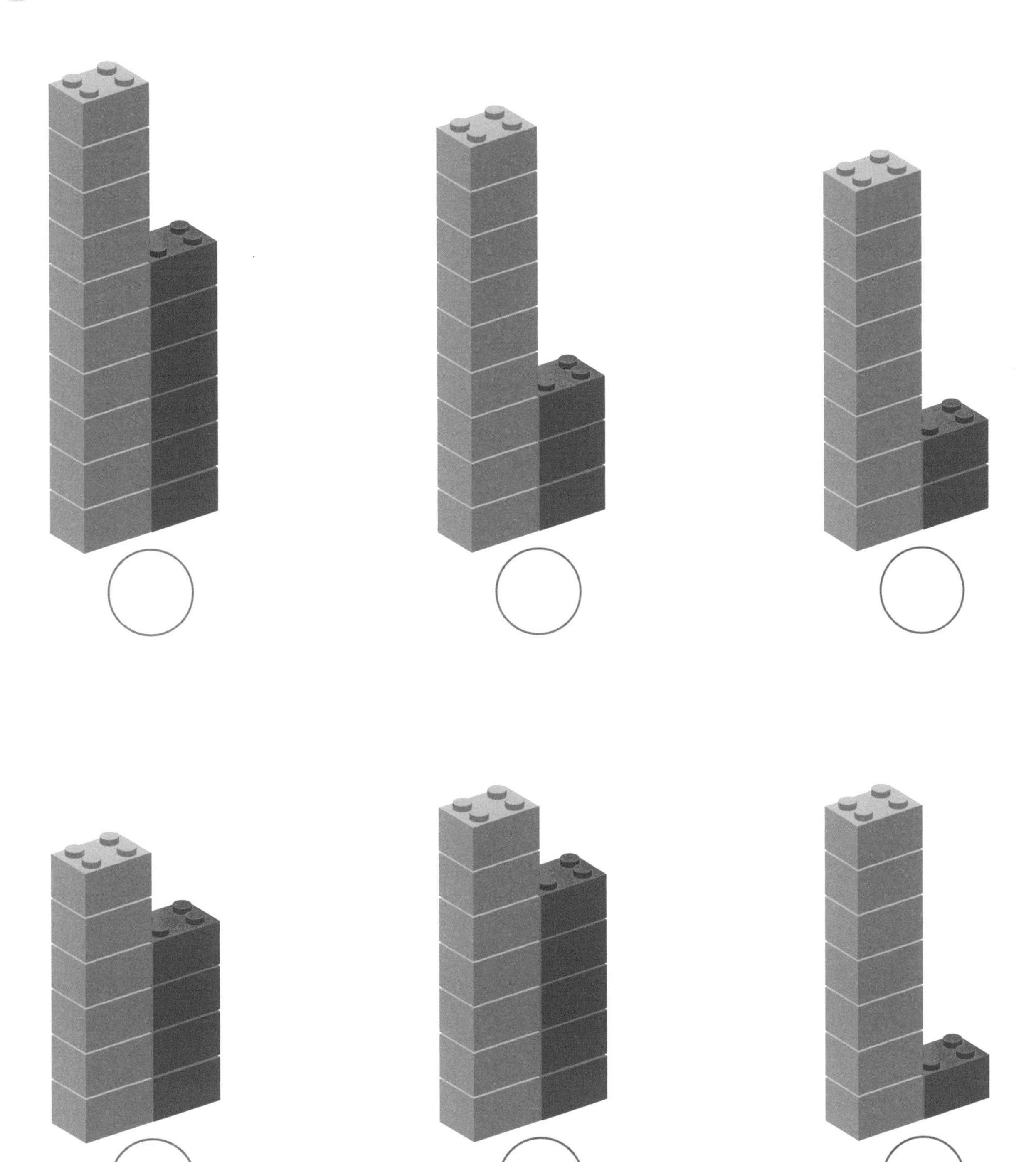

선 그려 차이 세기

그림을 1개씩 선으로 연결하고 더 많은 것이 몇 개 많은지 수를 쓰세요.

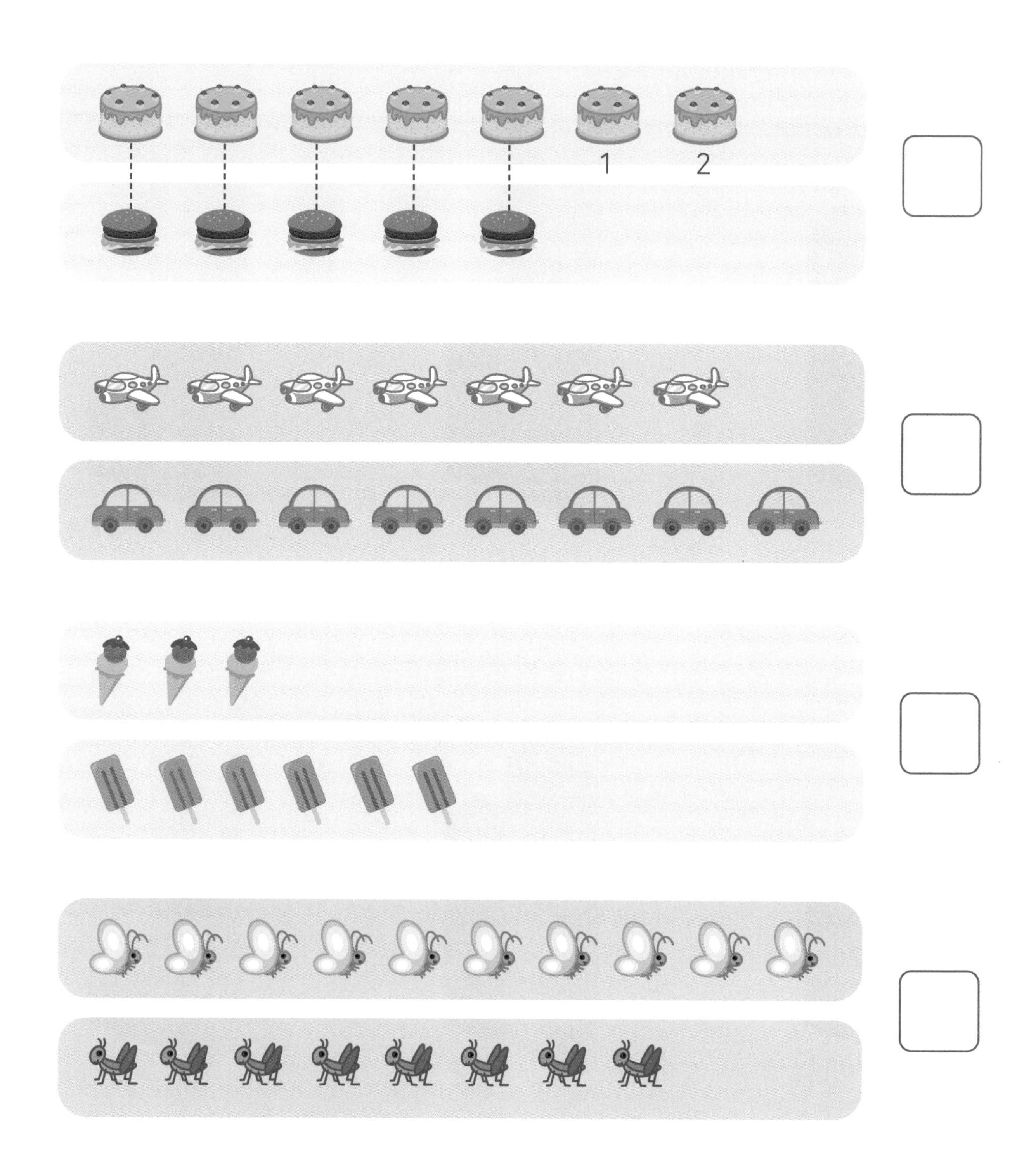

그림을 1개씩 선으로 연결하고 더 많은 것이 몇 개 많은지 수를 쓰세요.

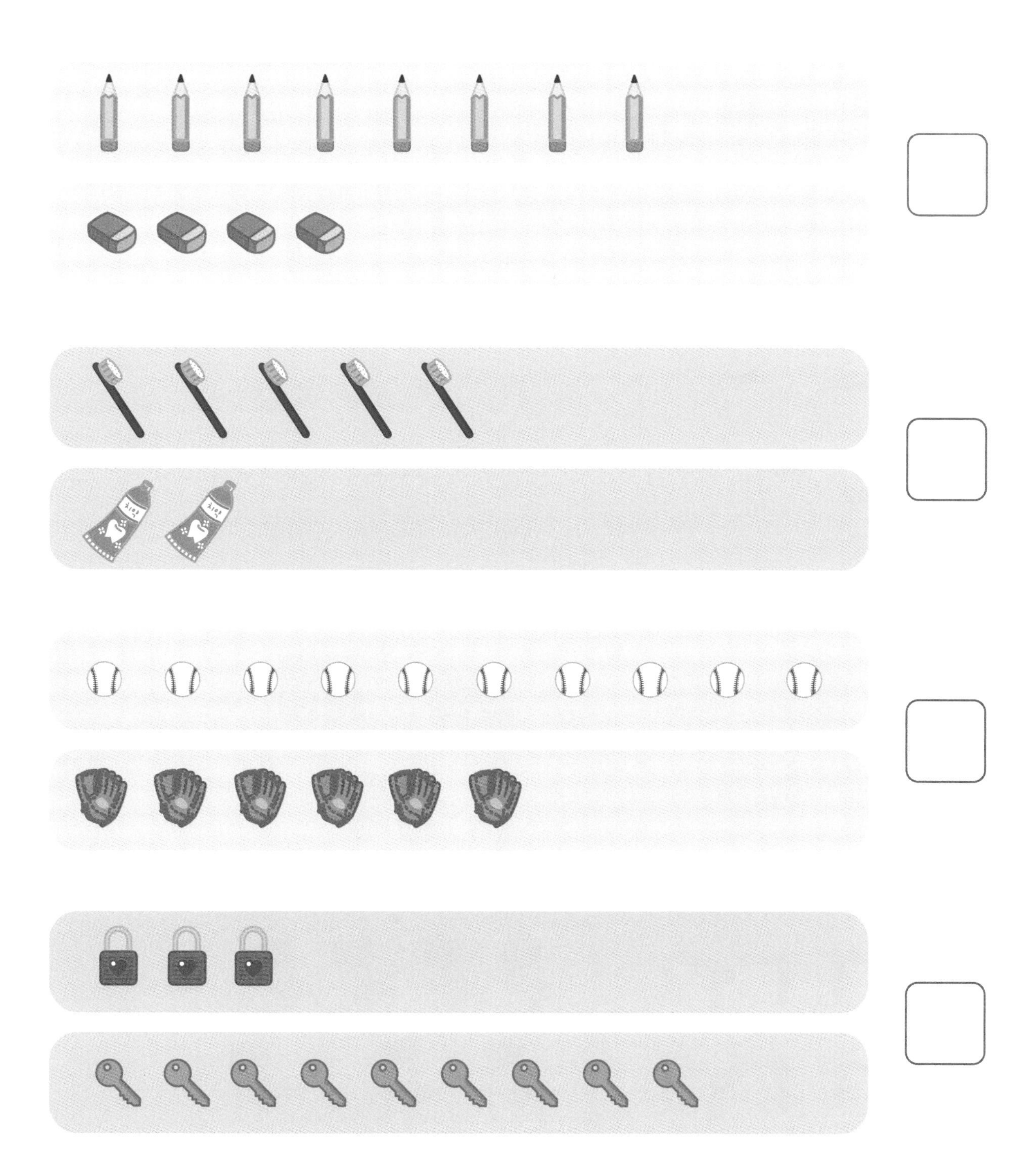

함께 사용하는 물건을 둘씩 짝지어 선을 그리고 남는 것의 개수를 쓰세요.

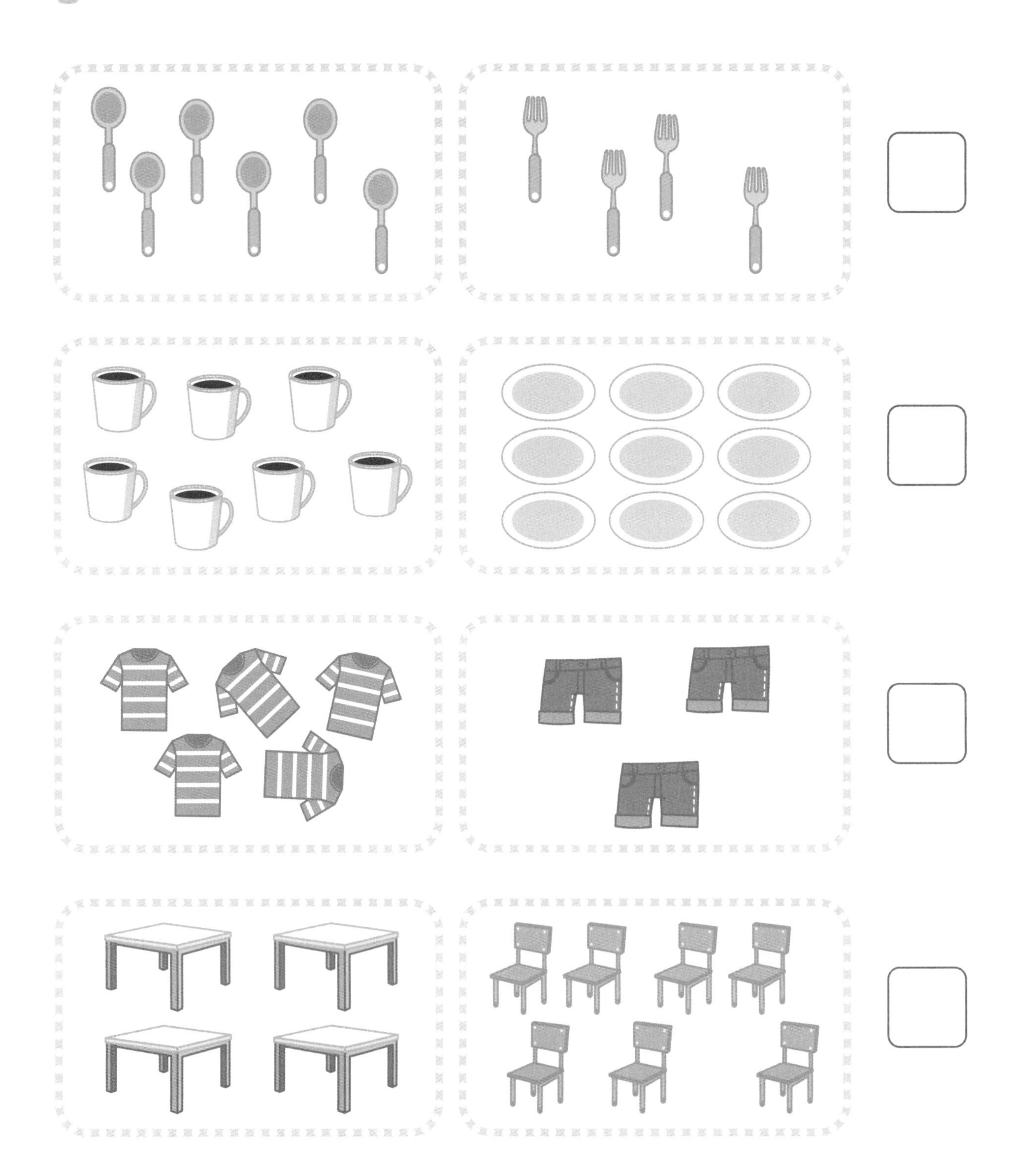

4일 차이가 몇 개일까요?

월 일

엄마와 함께 문제를 읽고 알맞은 수를 쓰세요.

★ 엄마가 사과를 4개, 귤을 6개 사오셨어요. 귤이 사과보다 몇 개 더 많을까요?

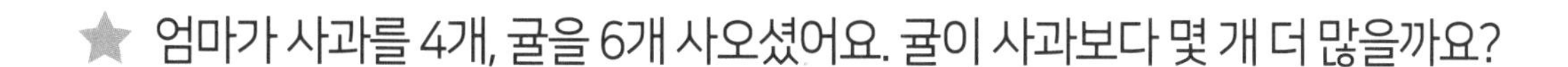

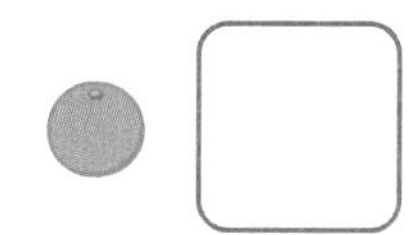

★ 빨간색 사탕이 7개, 파란색 사탕이 9개 있어요. 파란색 사탕이 몇 개 더 많을까요?

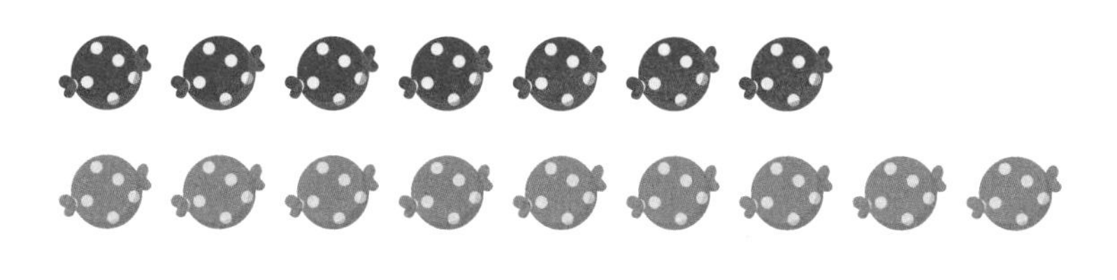

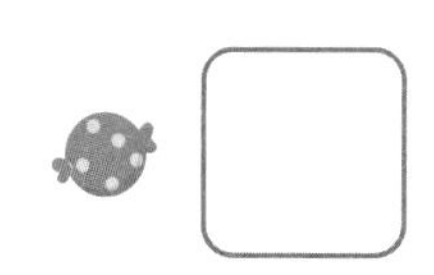

★ 호랑이가 5마리, 사자가 2마리 있어요. 호랑이가 몇 마리 더 많을까요?

엄마와 함께 문제를 읽고 알맞은 수를 쓰세요.

★ 초록색 구슬이 3개, 주황색 구슬이 6개 있어요. 주황색 구슬이 몇 개 더 많을까요?

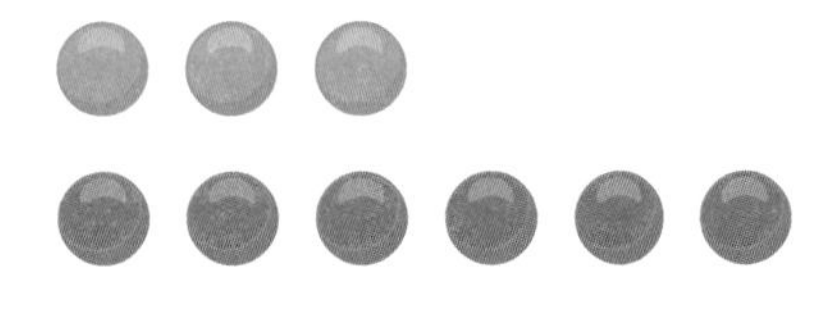

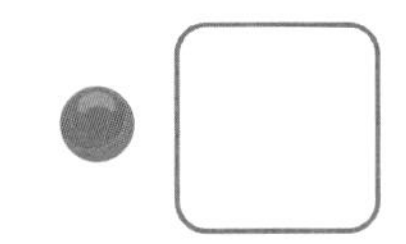

★ 개미 9마리가 줄지어 가는데 옆에 무당벌레 5마리가 지나가요. 개미가 몇 마리 더 많을까요?

★ 무가 1개, 당근이 4개 있어요. 당근이 몇 개 더 많을까요?

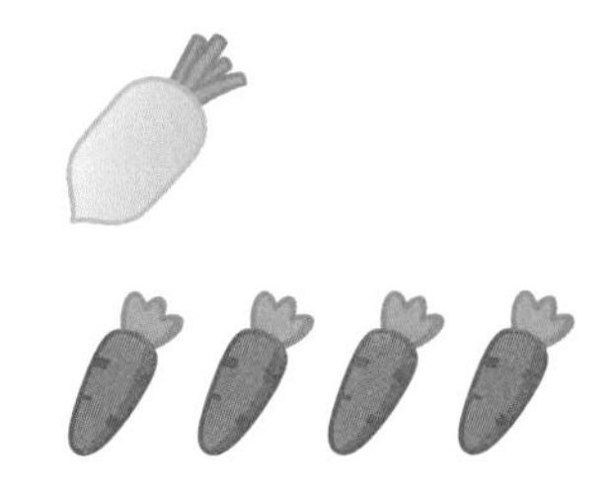

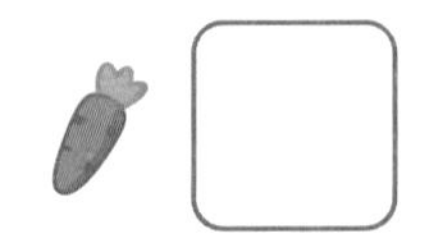

엄마와 함께 문제를 읽고 알맞은 수를 쓰세요.

★ 종이 돈이 3장, 동전이 7개 있어요. 동전이 몇 개 더 많을까요?

★ 8송이의 꽃이 핀 화단에 나비 2마리가 날아왔어요. 꽃이 나비보다 몇 송이 더 많을까요?

★ 농구공이 4개, 야구공이 5개 있어요. 야구공이 몇 개 더 많을까요?

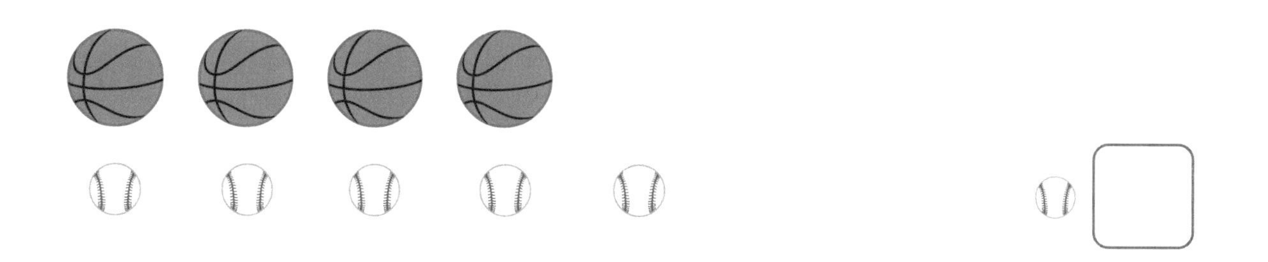

5일 사고력 팡팡 - 그림 맞추기

그림을 세 조각으로 잘랐어요. 자른 조각이 아닌 그림을 찾아 X표 하세요.

왼쪽 그림이 되도록 오른쪽에 작은 그림이 들어갈 위치에 번호를 쓰세요.

① 
② 
③ 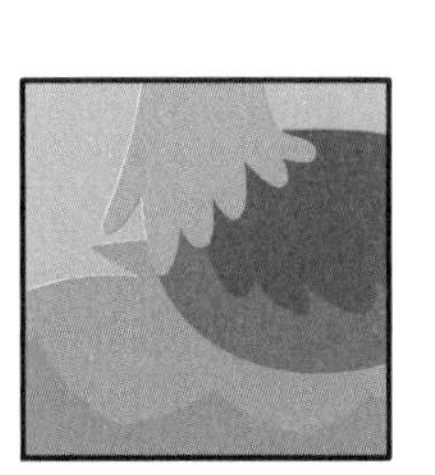
④ 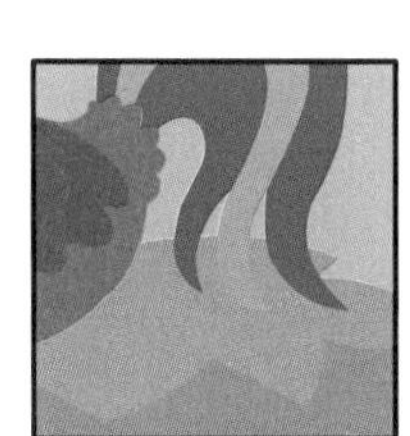

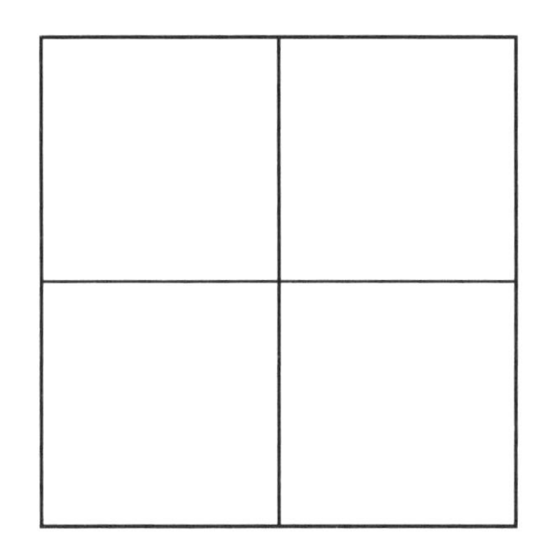

① 
② 
③ 
④ 

색종이를 잘랐어요. 같은 색종이를 선으로 이으세요.

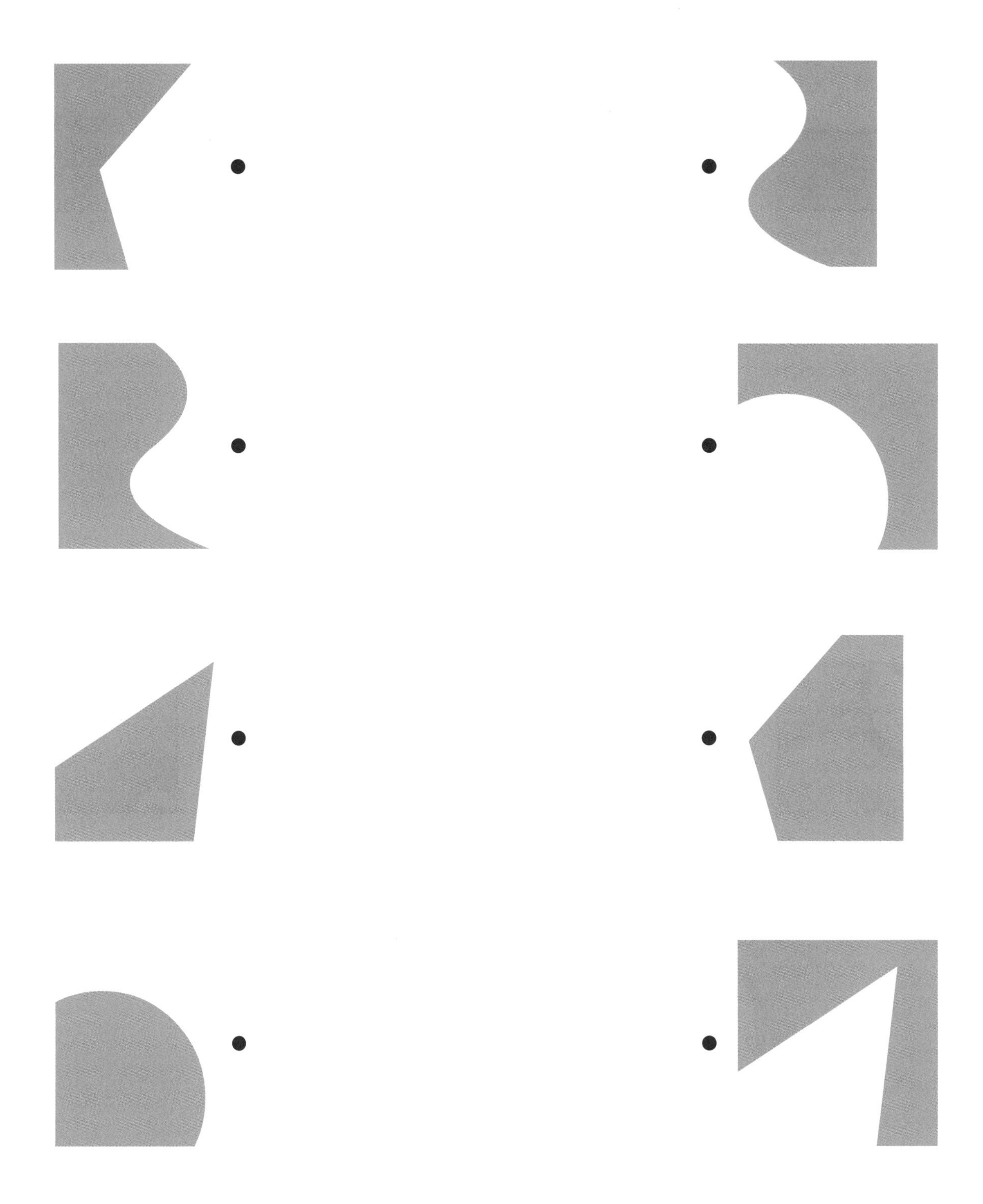

상상하여 빼어 세기

차이만큼 /표로 지우기, 전체 중 일부를 보고 나머지를 세는 것을 공부합니다. 보이지 않는 것을 셀 때 상상하여 세기 힘들 경우 연필로 O를 그려서 개수를 채워 놓고 세도록 지도해 주세요.

개수가 같도록 /표

사탕과 구슬의 개수가 같도록 구슬 몇 개를 /표로 지우세요.

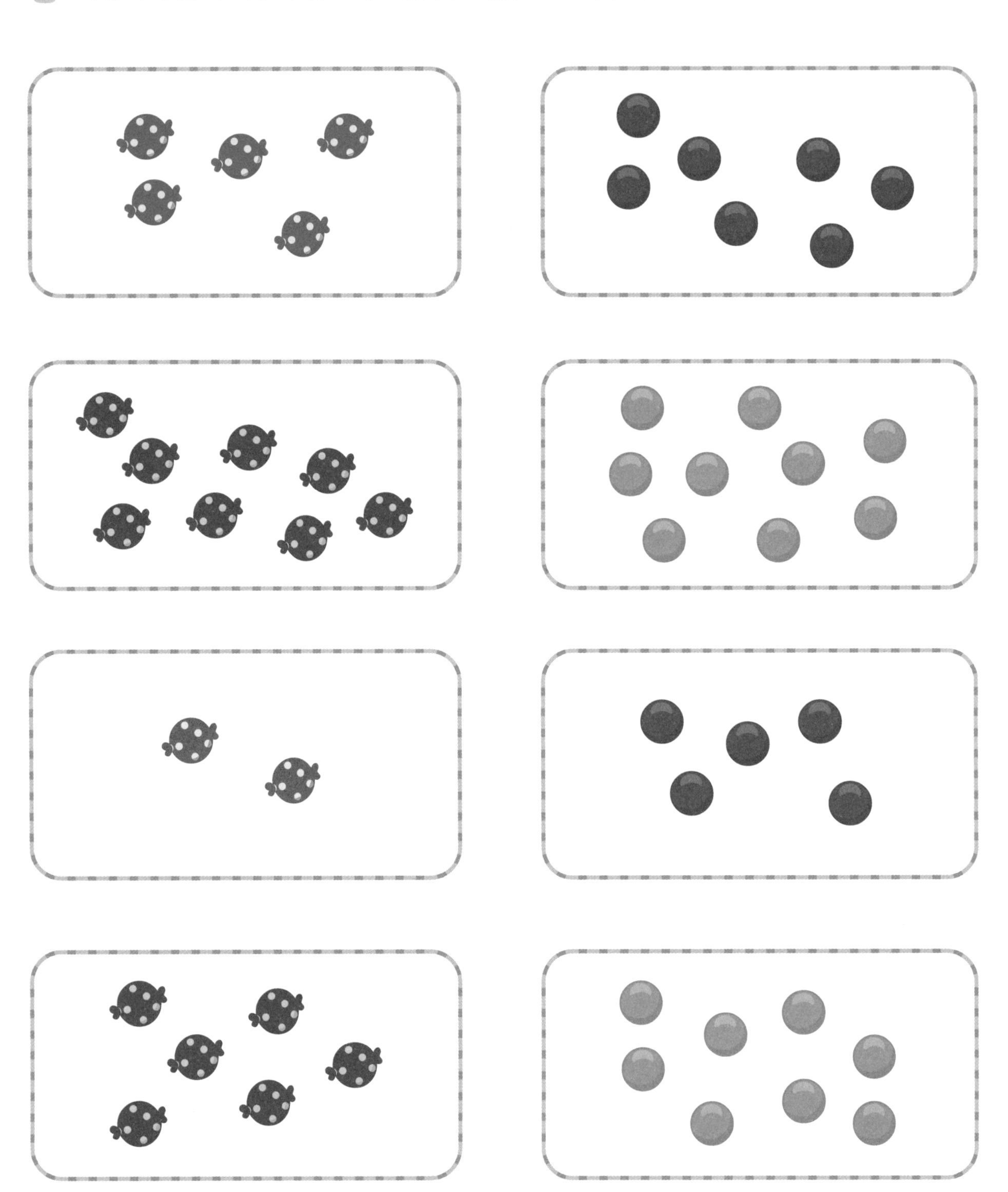

수와 ☆의 개수가 같도록 ☆을 /표로 지우세요.

2

4

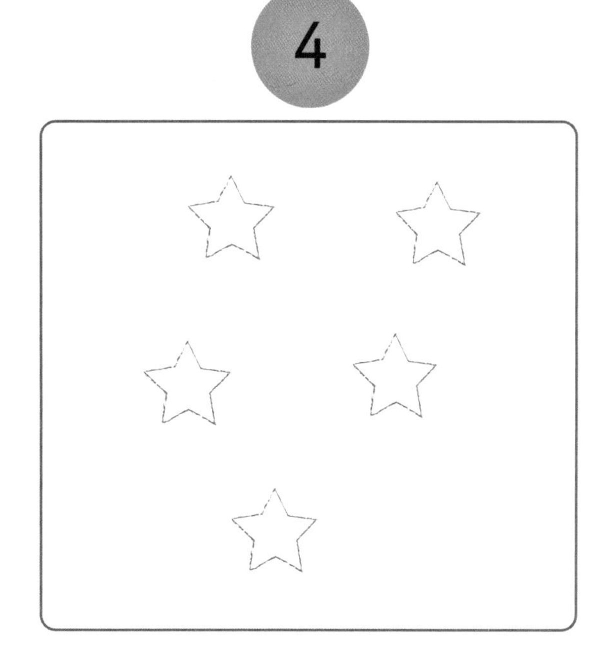

3

1

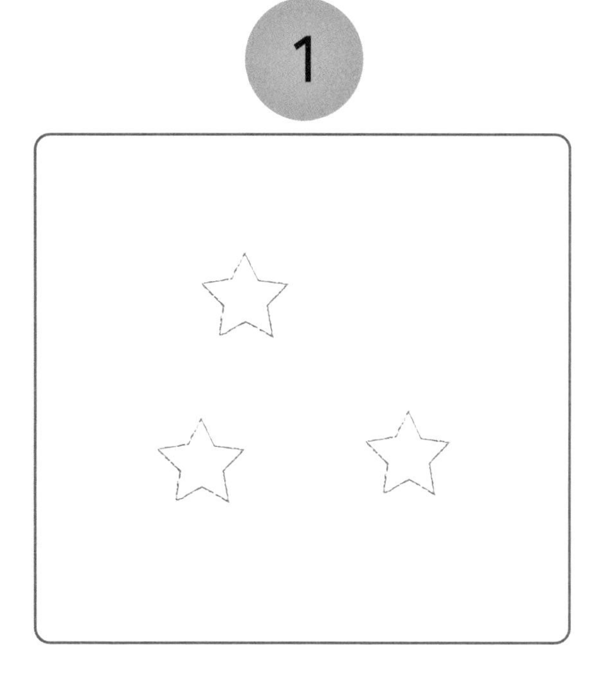

수와 ◯의 개수가 같도록 ◯를 /표로 지우세요.

3

7

8

5

4

6

남은 개수

장난감 통에 장난감이 정리되어 있어요. □ 안에는 장난감의 개수를 적어 놓았어요.

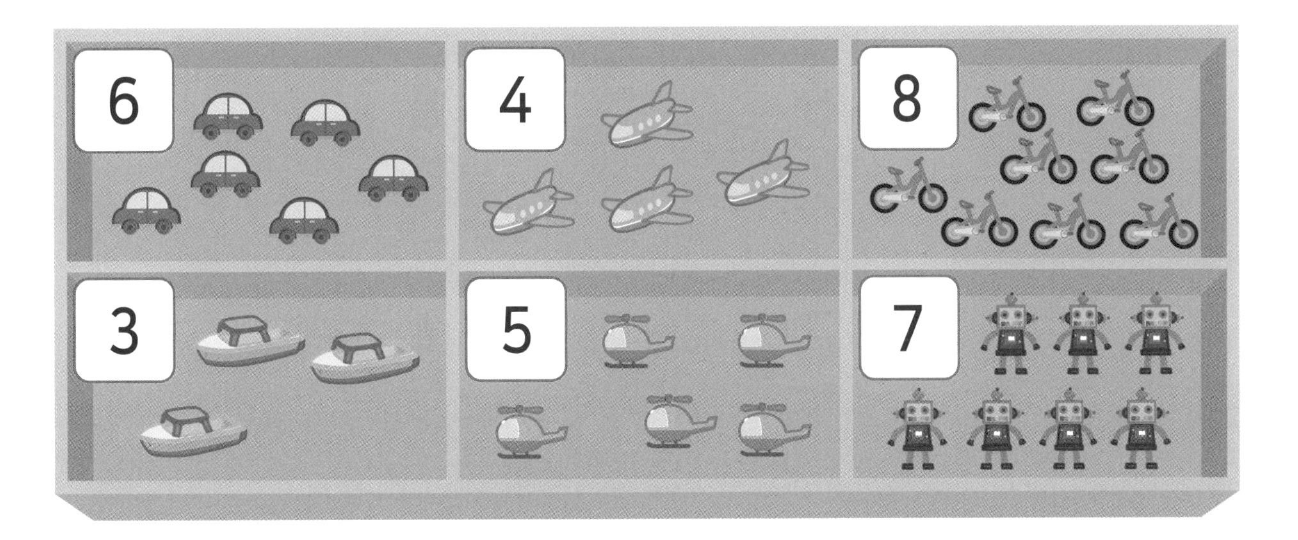

★ 장난감 통에서 장난감 몇 개를 꺼내었어요. 장난감 통에 남은 장난감의 개수를 □ 안에 쓰세요.

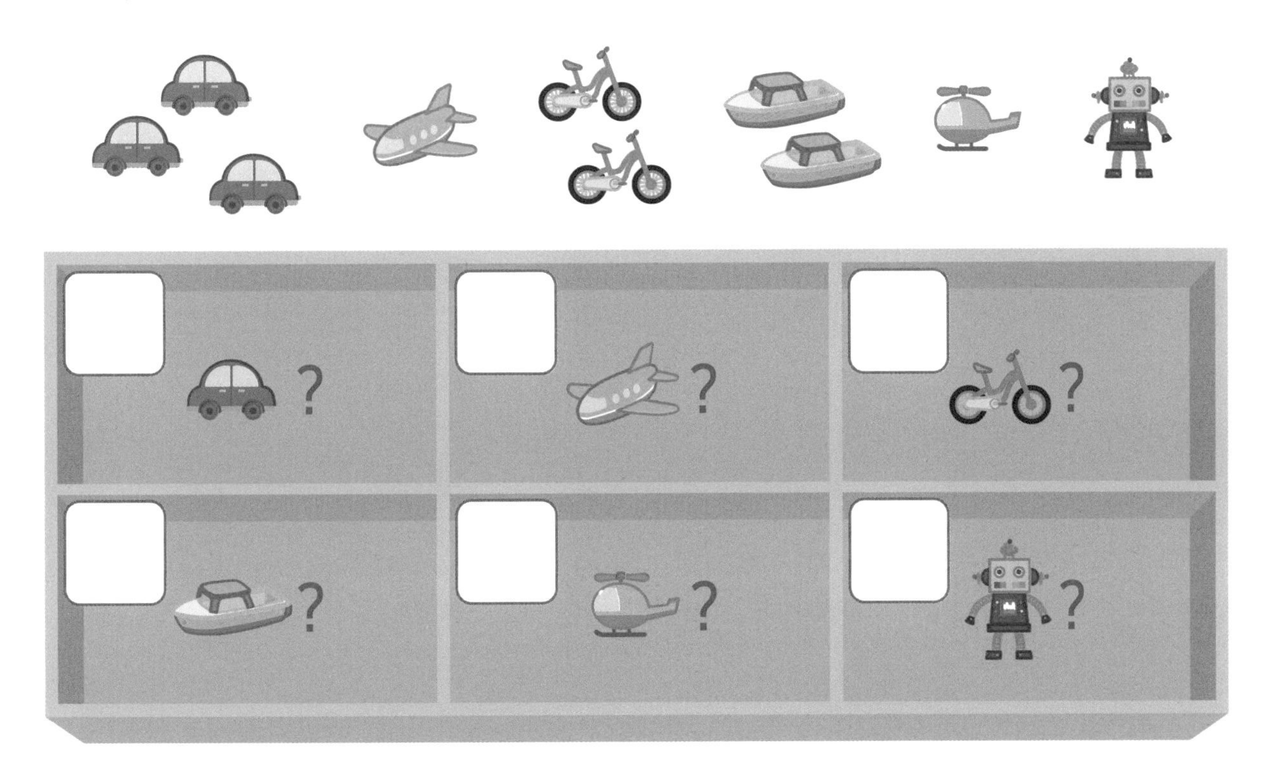

책장에 책이 색깔별로 꽂혀 있어요. □ 안에는 책이 몇 권인지 적어 놓았어요.

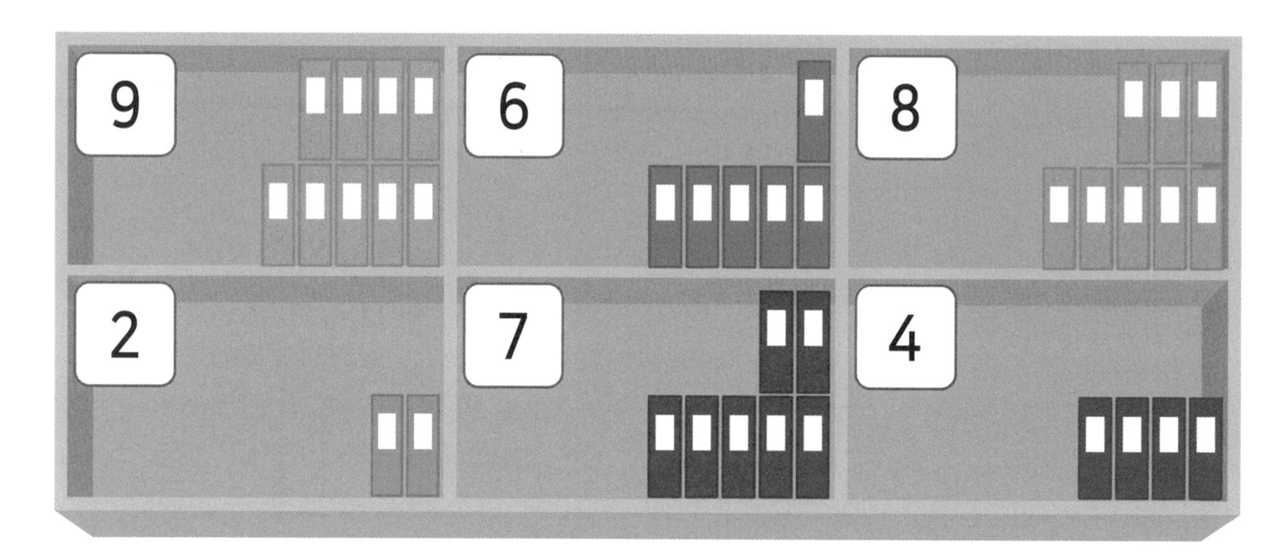

책장에서 책 몇 권을 꺼내었어요. 책장에 남은 책이 몇 권인지 □ 안에 쓰세요.

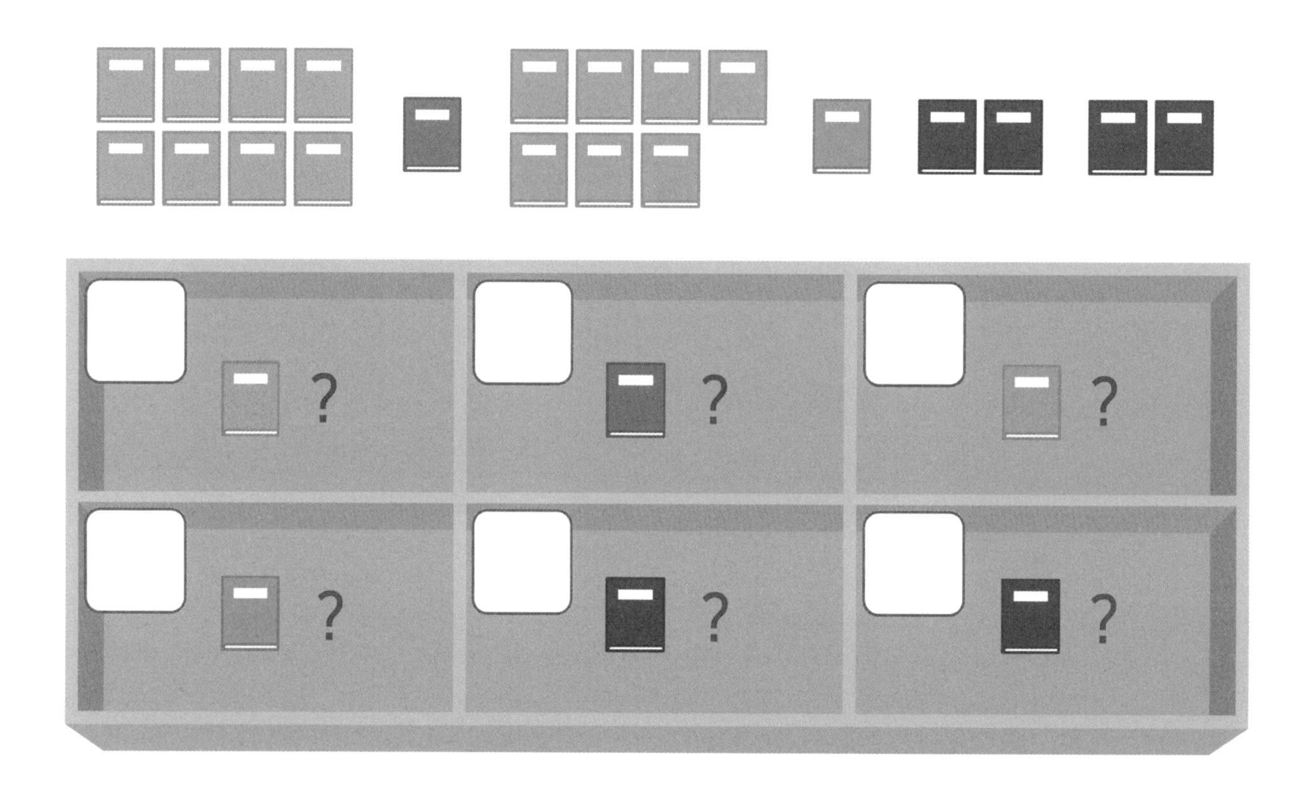

네 가지 색깔의 구슬과 같은 색깔의 빈 상자가 있어요.

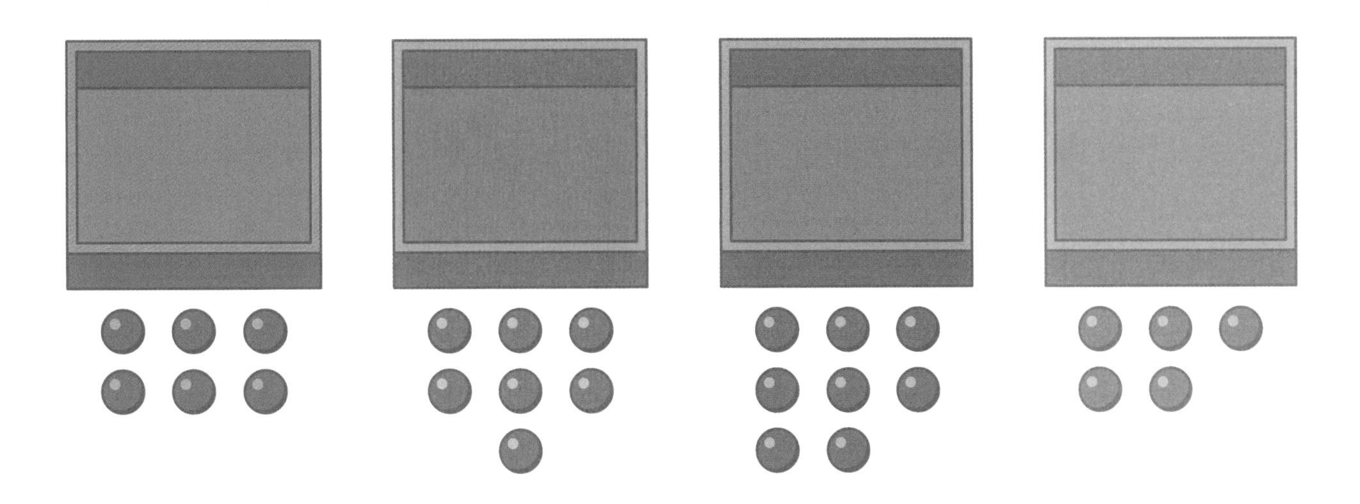

★ 구슬 몇 개를 상자에 넣었어요. 남은 구슬의 개수를 보고 상자에 넣은 구슬의 개수를 쓰세요.

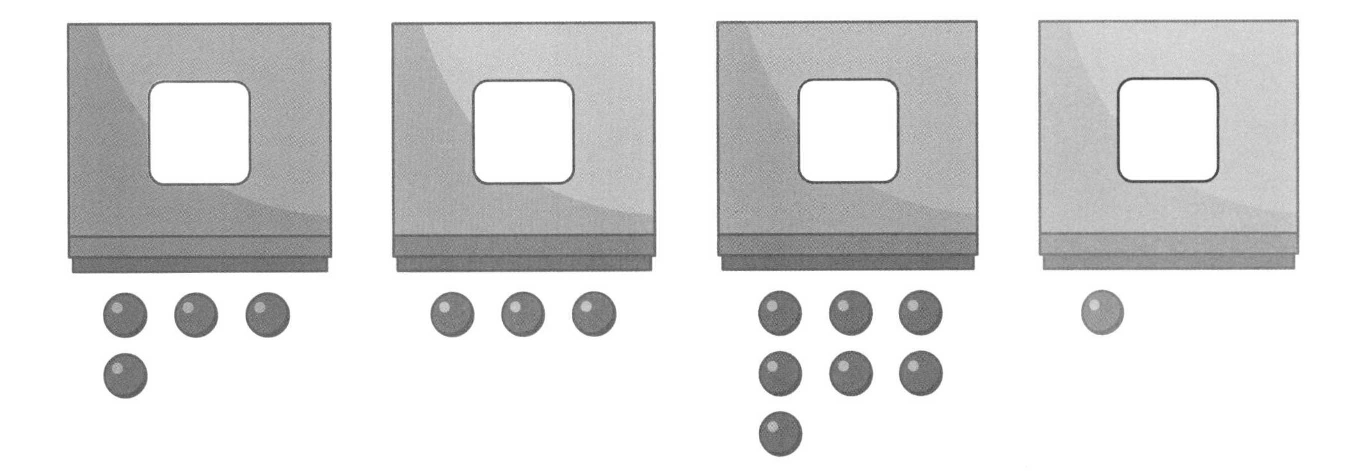

3일 상상하여 빼어 세기

바둑돌 몇 개를 다른 손에 옮기고 손을 오므렸어요. 손 안의 바둑돌은 모두 몇 개인지 쓰세요.

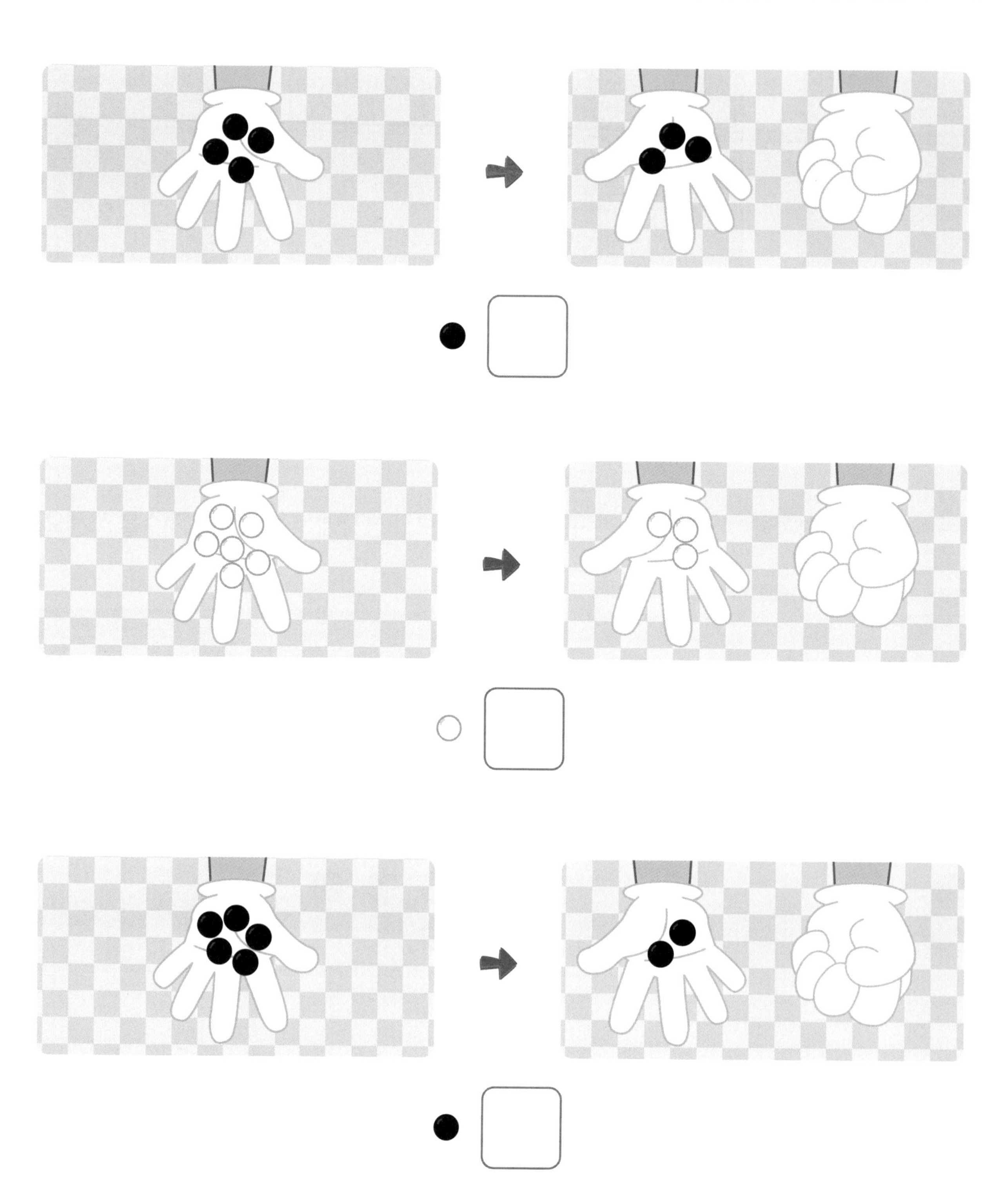

손에 구슬이 몇 개입니까?

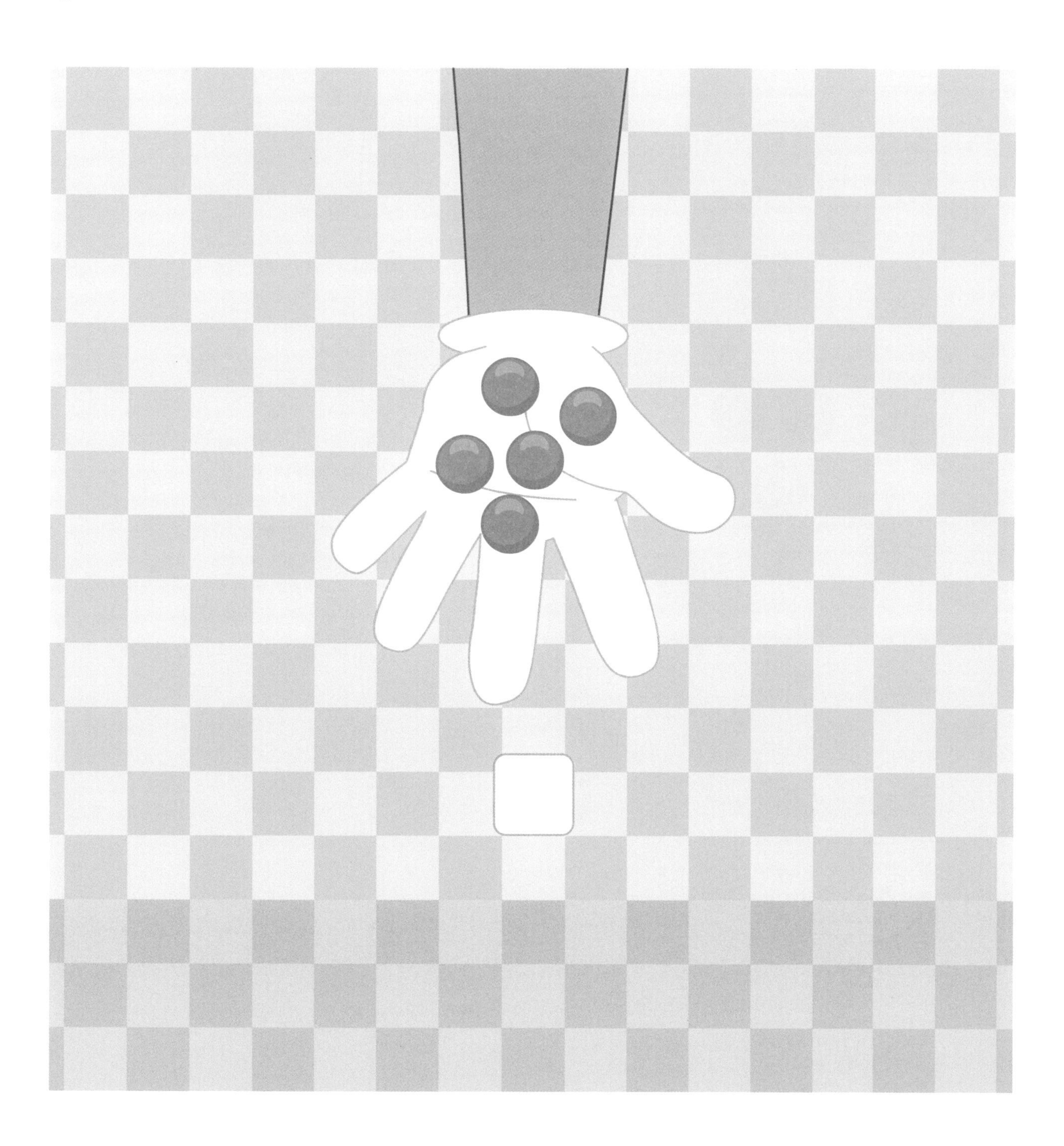

손에 있던 구슬 4개를 다른 손으로 옮겼어요. 주먹 쥔 손에는 구슬이 몇 개 있을까요?

손에 사탕이 몇 개입니까?

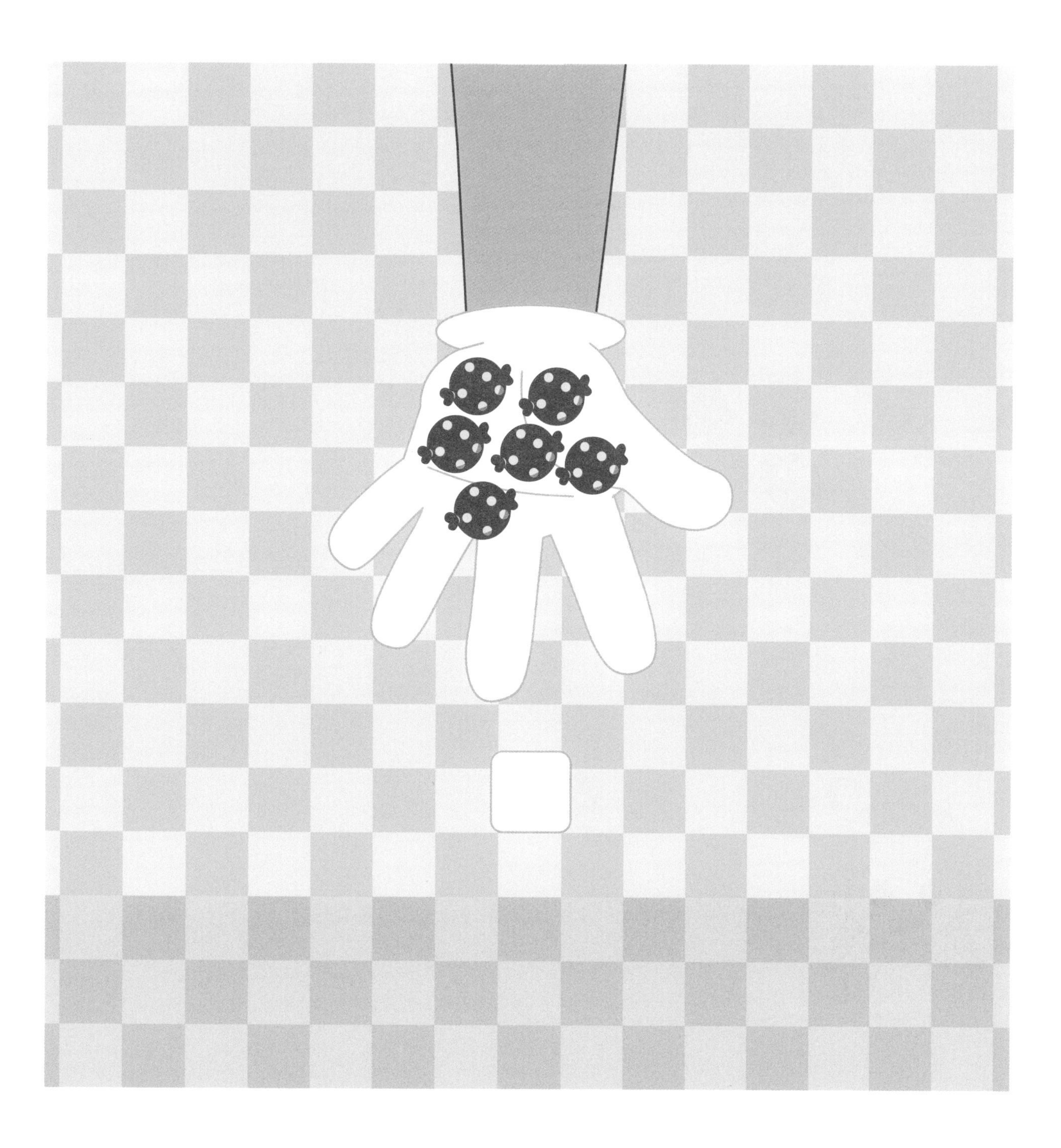

손에 있던 사탕 4개를 다른 손으로 옮겼어요. 주먹 쥔 손에는 사탕이 몇 개 있을까요?

손에 동전이 몇 개입니까?

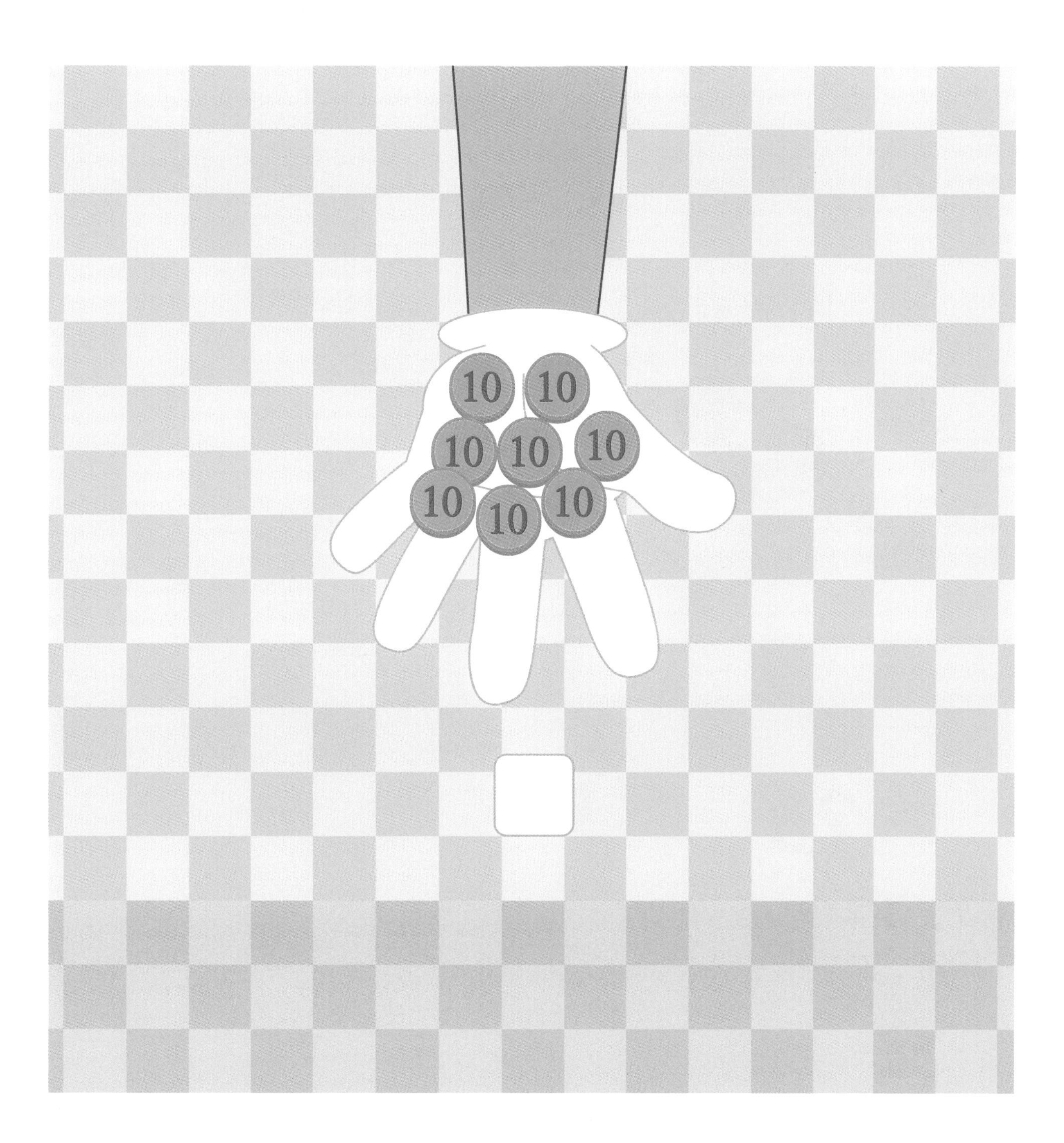

손에 있던 동전 3개를 다른 손으로 옮겼어요. 주먹 쥔 손에는 동전이 몇 개 있을까요?

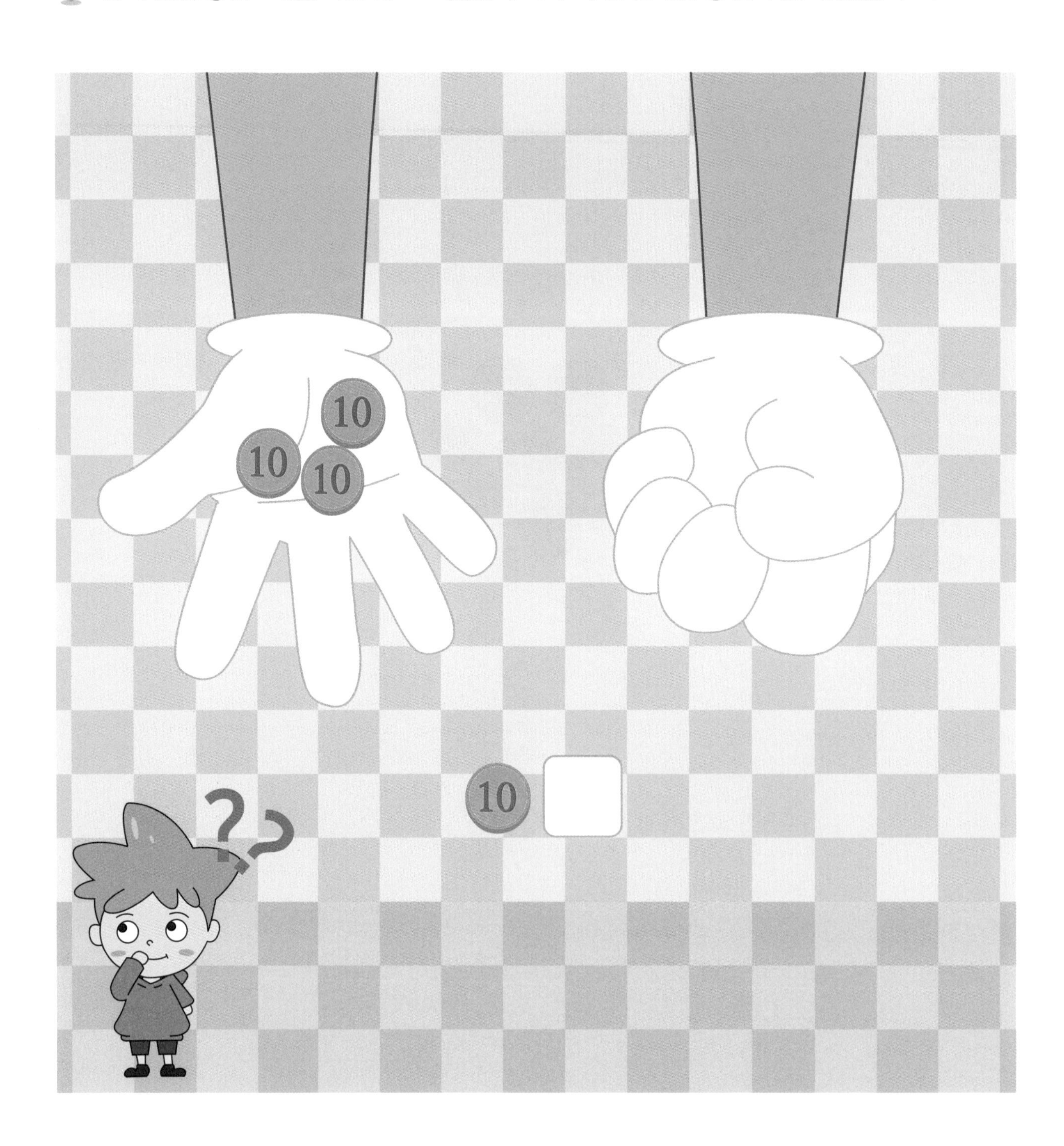

손에 돌멩이가 몇 개입니까?

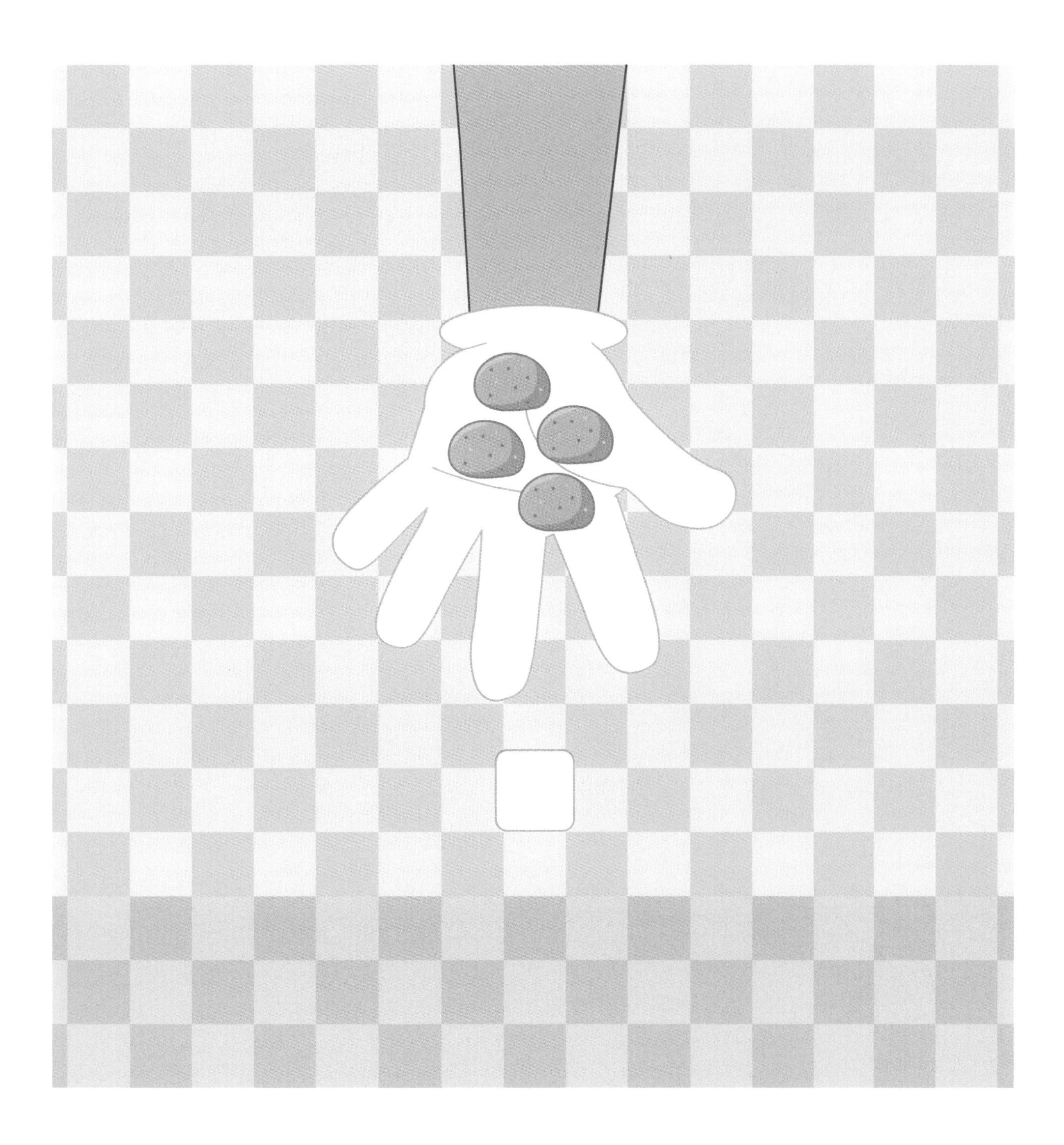

손에 있던 돌멩이 2개를 다른 손으로 옮겼어요. 주먹 쥔 손에는 돌멩이가 몇 개 있을까요?

보이지 않는 개수 세기

공부한 날~! 월 일

볼링핀 6개를 세워 놓고 공을 굴렸어요.

★ 남은 볼링핀을 보고 쓰러진 볼링핀의 개수를 쓰세요.

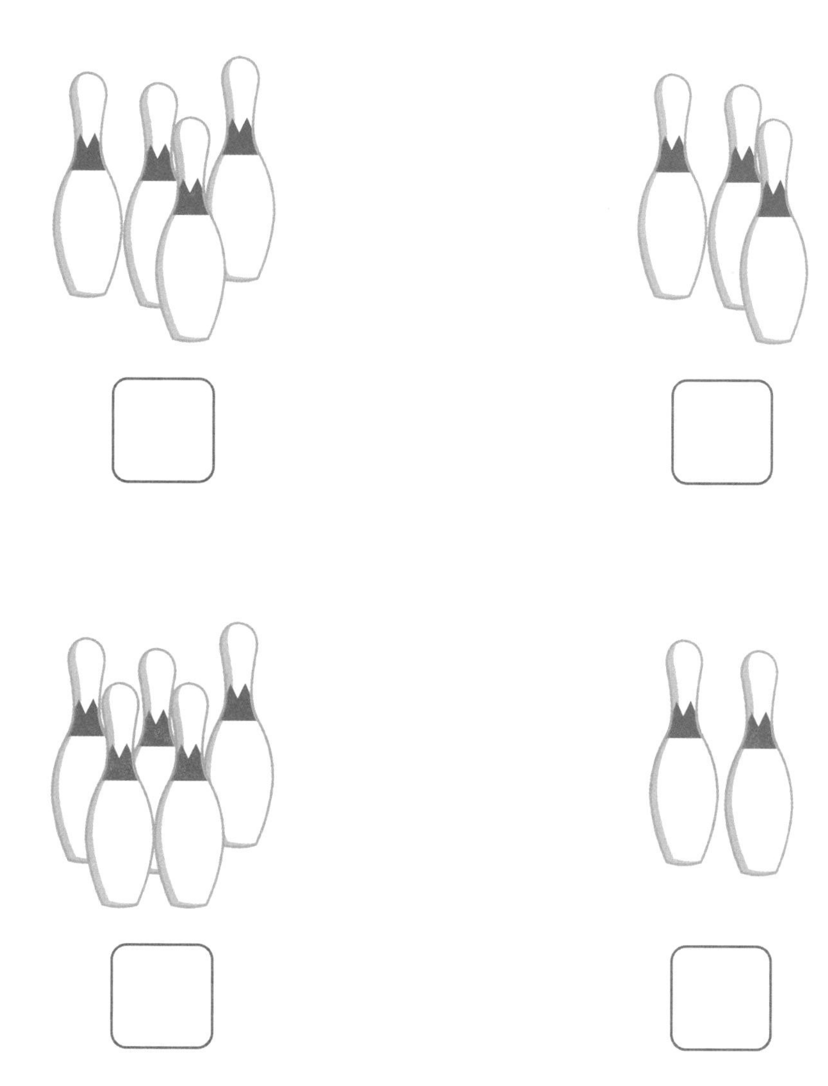

친구들이 사탕을 똑같이 5개씩 나누어 가졌어요.

★ 먹고 남은 사탕을 보고 친구들이 먹은 사탕의 개수를 쓰세요.

연필로 별 7개를 종이에 그리고 몇 개를 지우개로 지웠어요. 지운 별의 개수를 쓰세요.

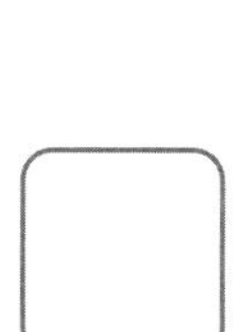

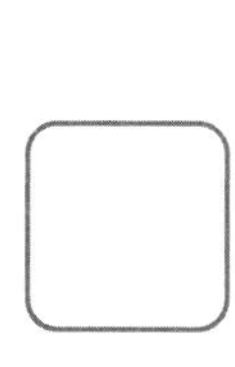

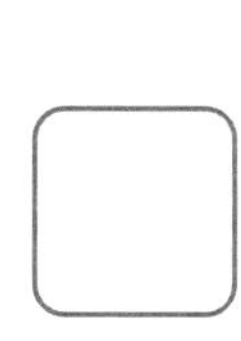

사고력 팡팡 – 패턴블록

패턴블록 붙임 딱지에서 같은 모양을 한 개 또는 여러 개 붙여서 ⬡ 모양을 채워 보세요.

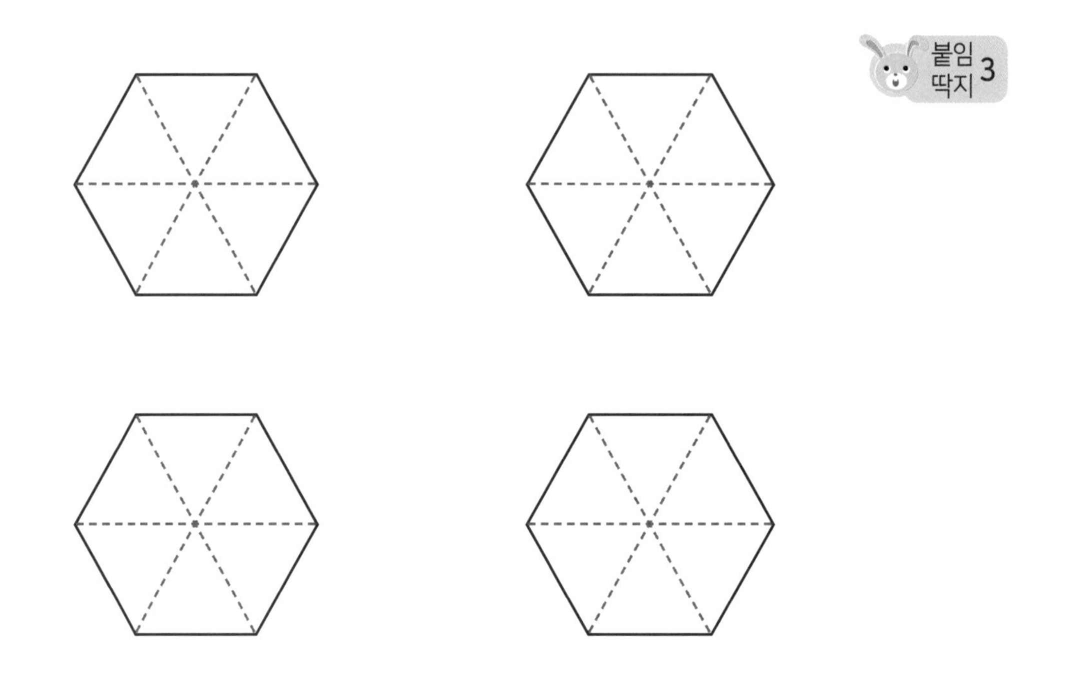

패턴블록은 모두 6개의 조각으로 이루어져 있어요. 같은 모양만 붙여서 ⬡ 모양을 채울 수 있는 것에 모두 ◯표 하세요.

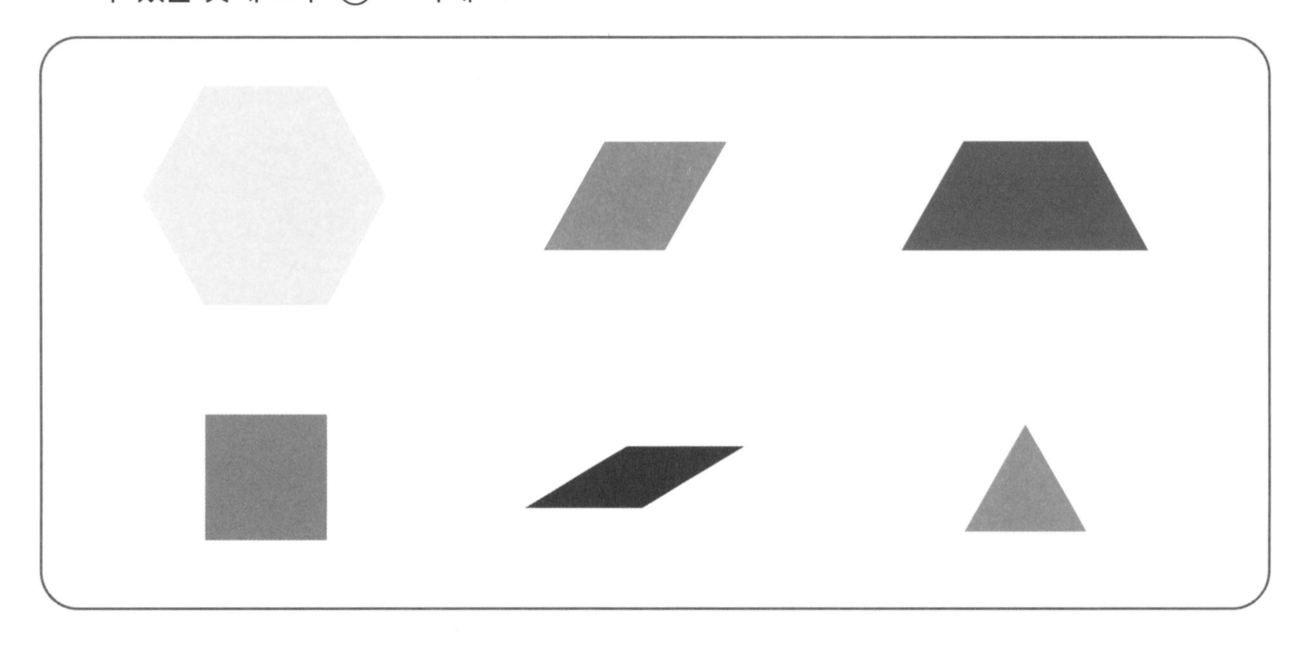

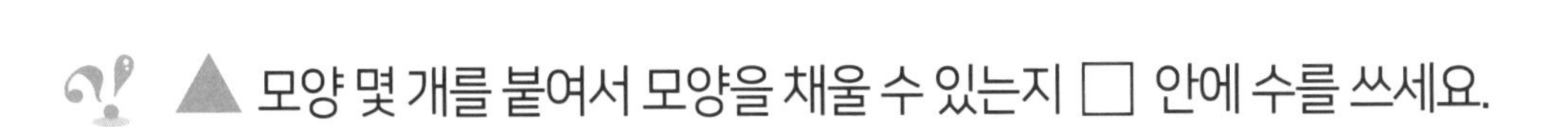

▲ 모양 몇 개를 붙여서 모양을 채울 수 있는지 □ 안에 수를 쓰세요.

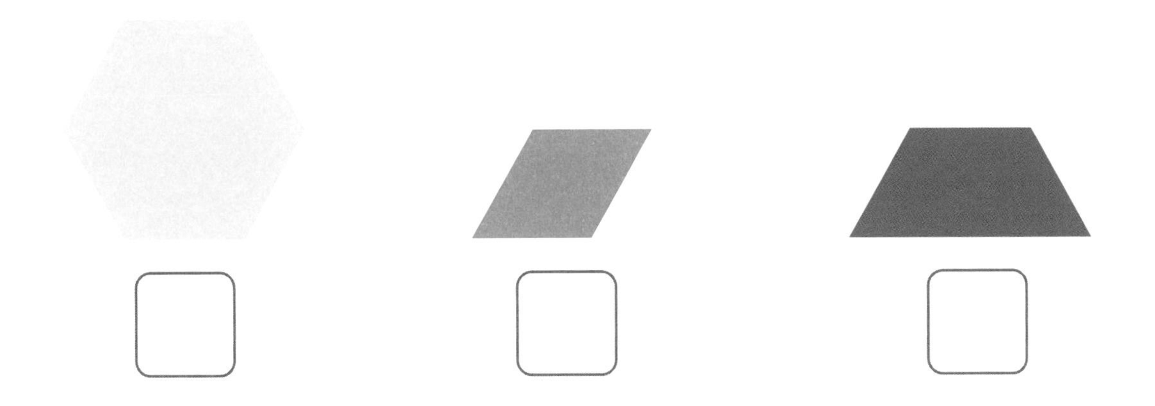

주어진 패턴블록으로 모양을 채우세요.

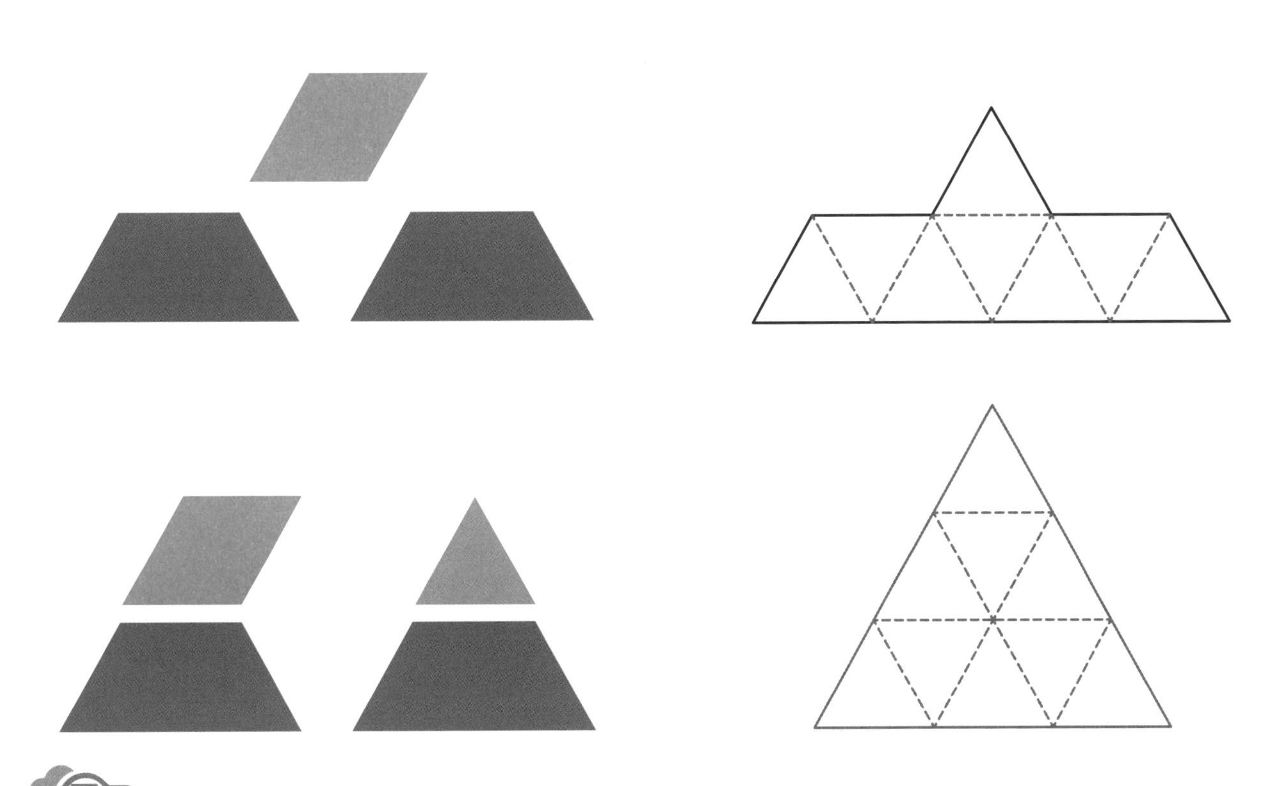

Tip

위의 문제는 그림 위에 붙임 딱지를 직접 붙여 보아도 좋습니다.

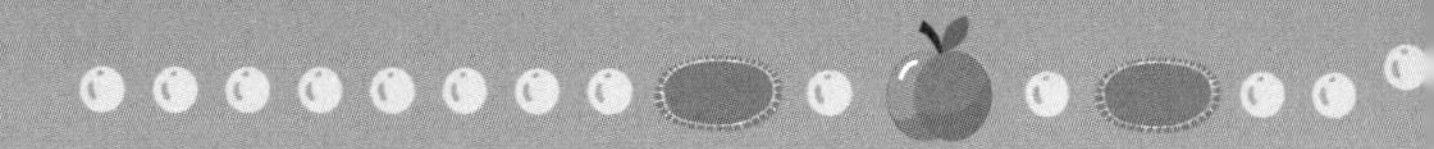

패턴블록을 1개씩 사용하여 모양을 채우고 사용하지 않은 패턴블록에 X표 하세요.

붙임딱지 3

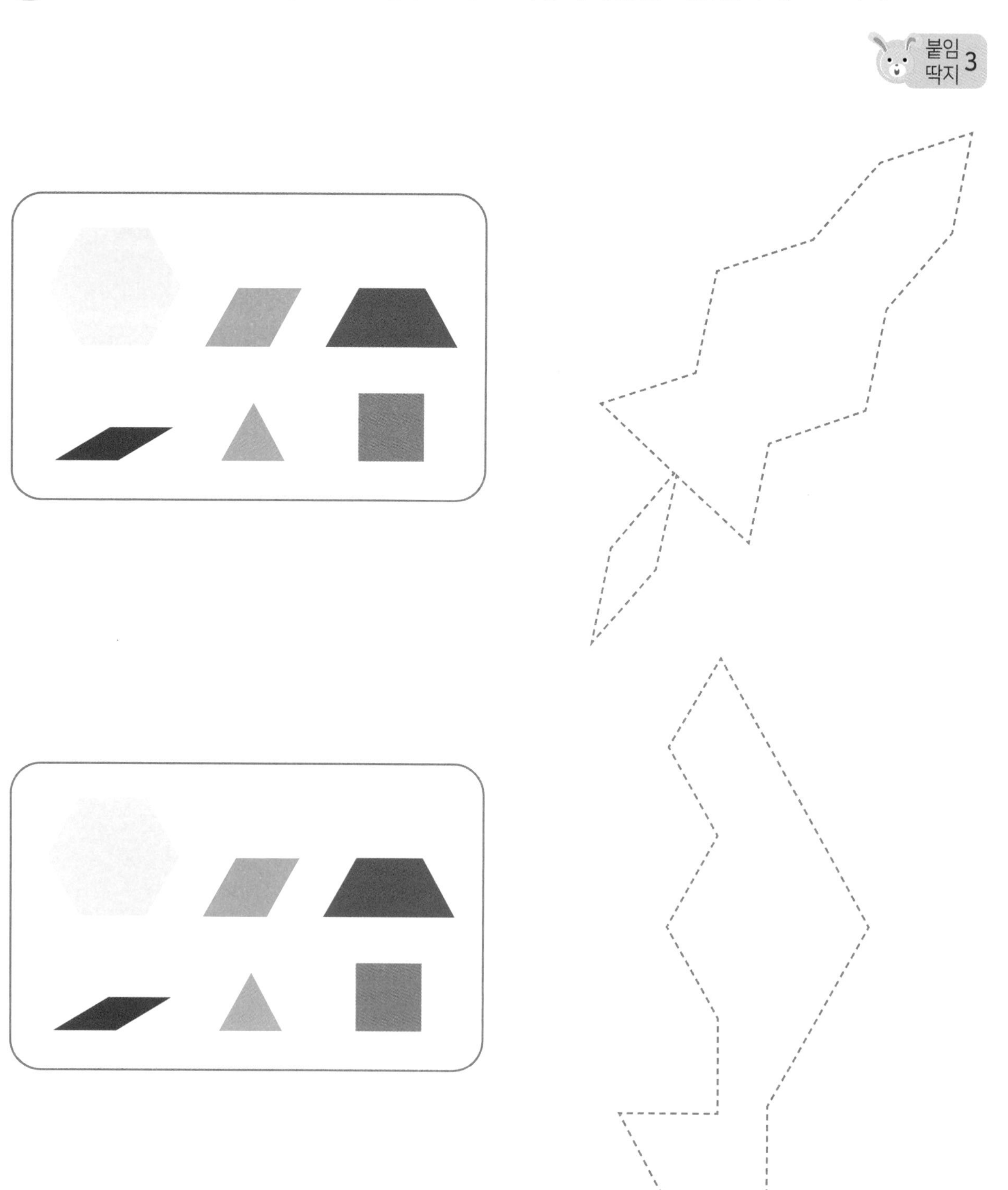

적게 세기

그림보다 1 적게 세기, 2 적게 세기를 공부합니다. 그림과 1 대 1 대응으로 그림을 지우고, 수만큼 그림을 지워서 적게 세기를 한 후, 적게 세어야 하는 수만큼 지워서 수를 구합니다. 사고력 팡팡은 부모님이 함께 활동을 해 주세요.

그림만큼 지우기

먹은 사과의 개수만큼 /표로 지우고, 남은 사과가 몇 개인지 쓰세요.

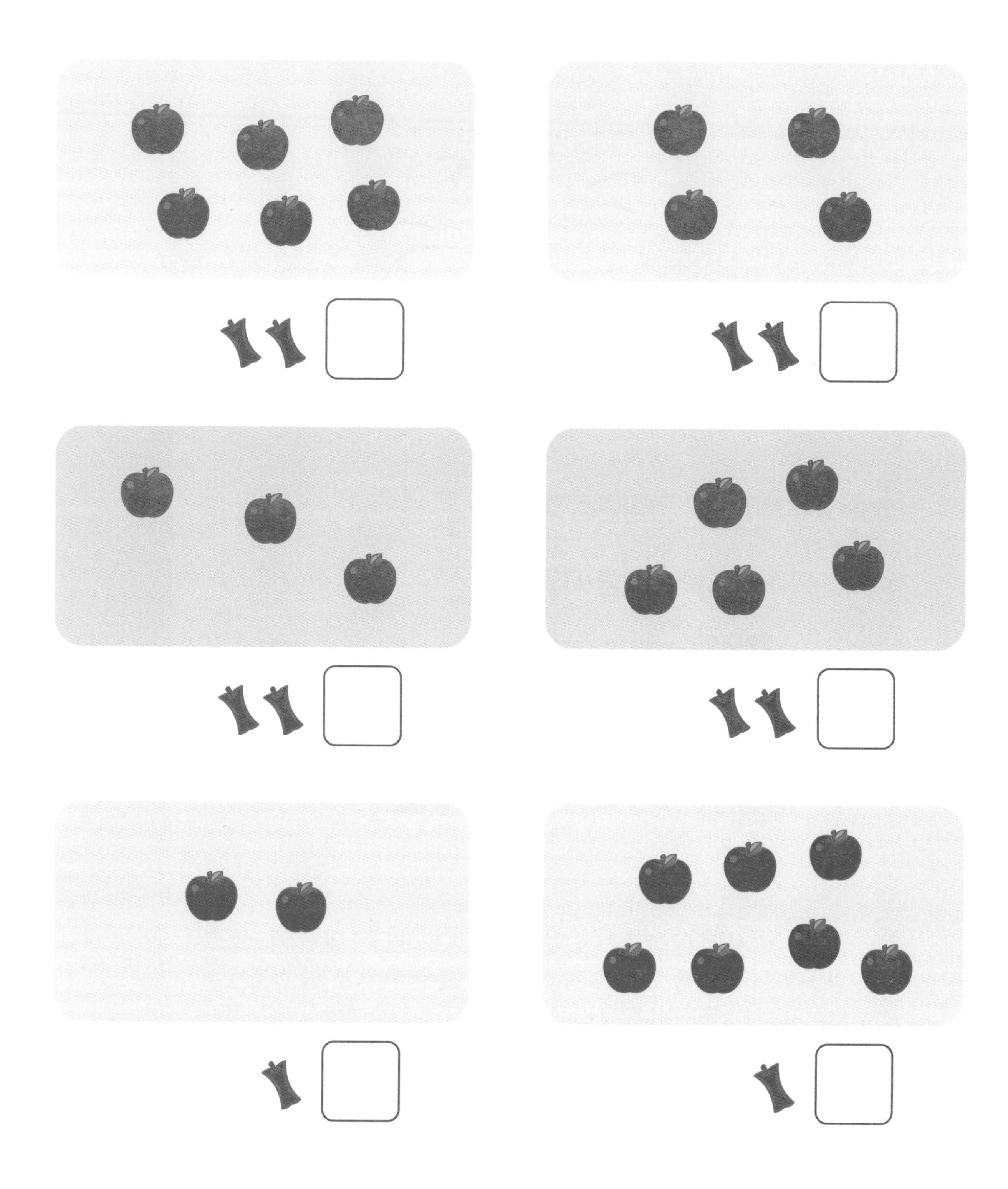

먹은 사과의 개수만큼 /표로 지우고, 남은 사과가 몇 개인지 쓰세요.

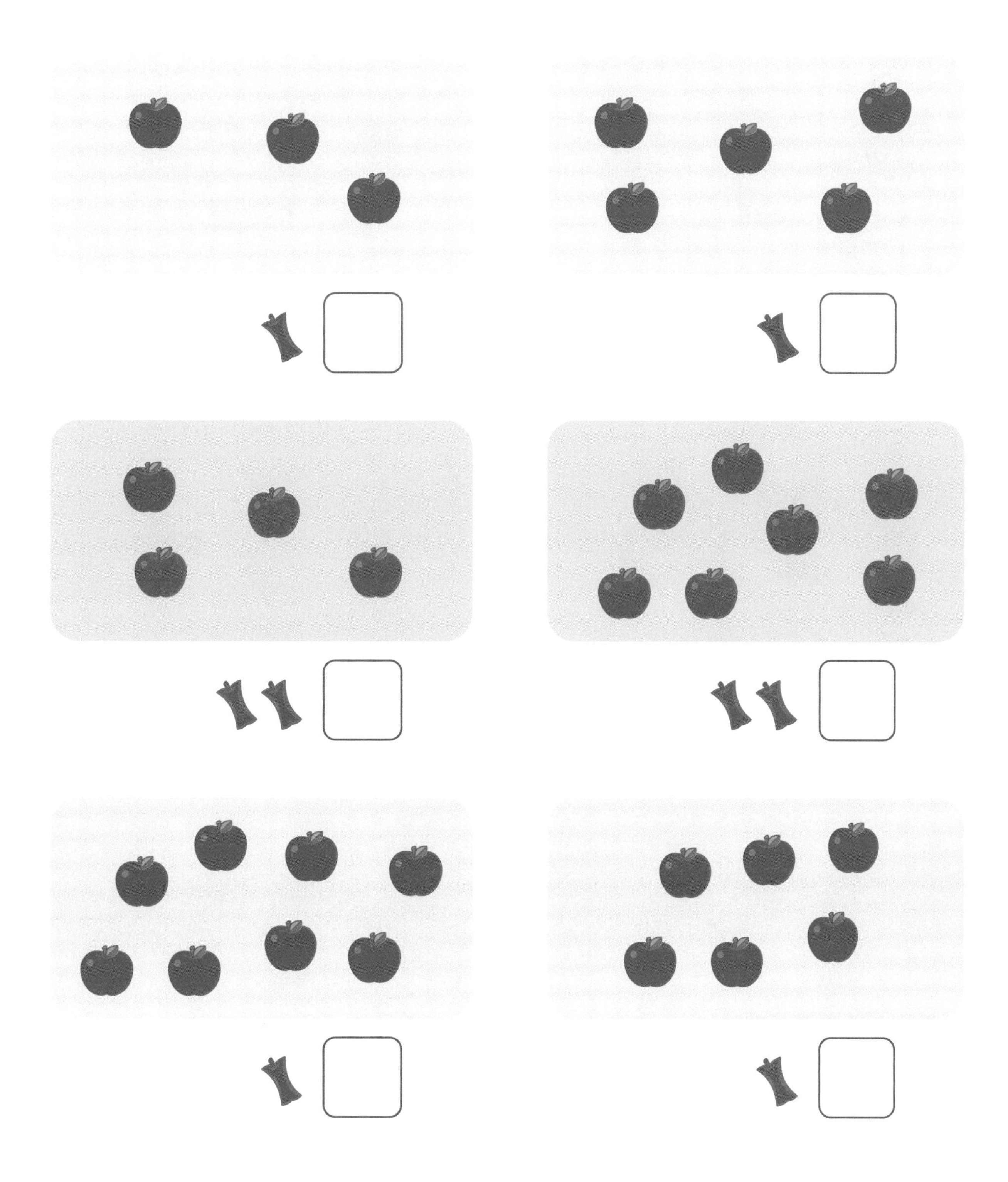

먹은 바나나의 개수만큼 /표로 지우고, 남은 바나나가 몇 개인지 쓰세요.

수만큼 지우기

왼쪽 수만큼 ◯를 그리고, 오른쪽 수만큼 /표로 지운 후 남은 ◯의 개수를 쓰세요.

4 2 □

2 1 □

6 2 □

5 1 □

7 1 □

9 1 □

왼쪽 수만큼 ◯를 색칠하고, 오른쪽 수만큼 /표로 지운 후 남은 ●의 개수를 쓰세요.

3	2

◯ ◯ ◯ ◯ ◯ ◯ ◯ ◯ ◯ ◯ ☐

4	1

◯ ◯ ◯ ◯ ◯ ◯ ◯ ◯ ◯ ◯ ☐

5	2

◯ ◯ ◯ ◯ ◯ ◯ ◯ ◯ ◯ ◯ ☐

6	1

◯ ◯ ◯ ◯ ◯ ◯ ◯ ◯ ◯ ◯ ☐

왼쪽 수만큼 ◯를 색칠하고, 오른쪽 수만큼 /표로 지운 후 남은 ●의 개수를 쓰세요.

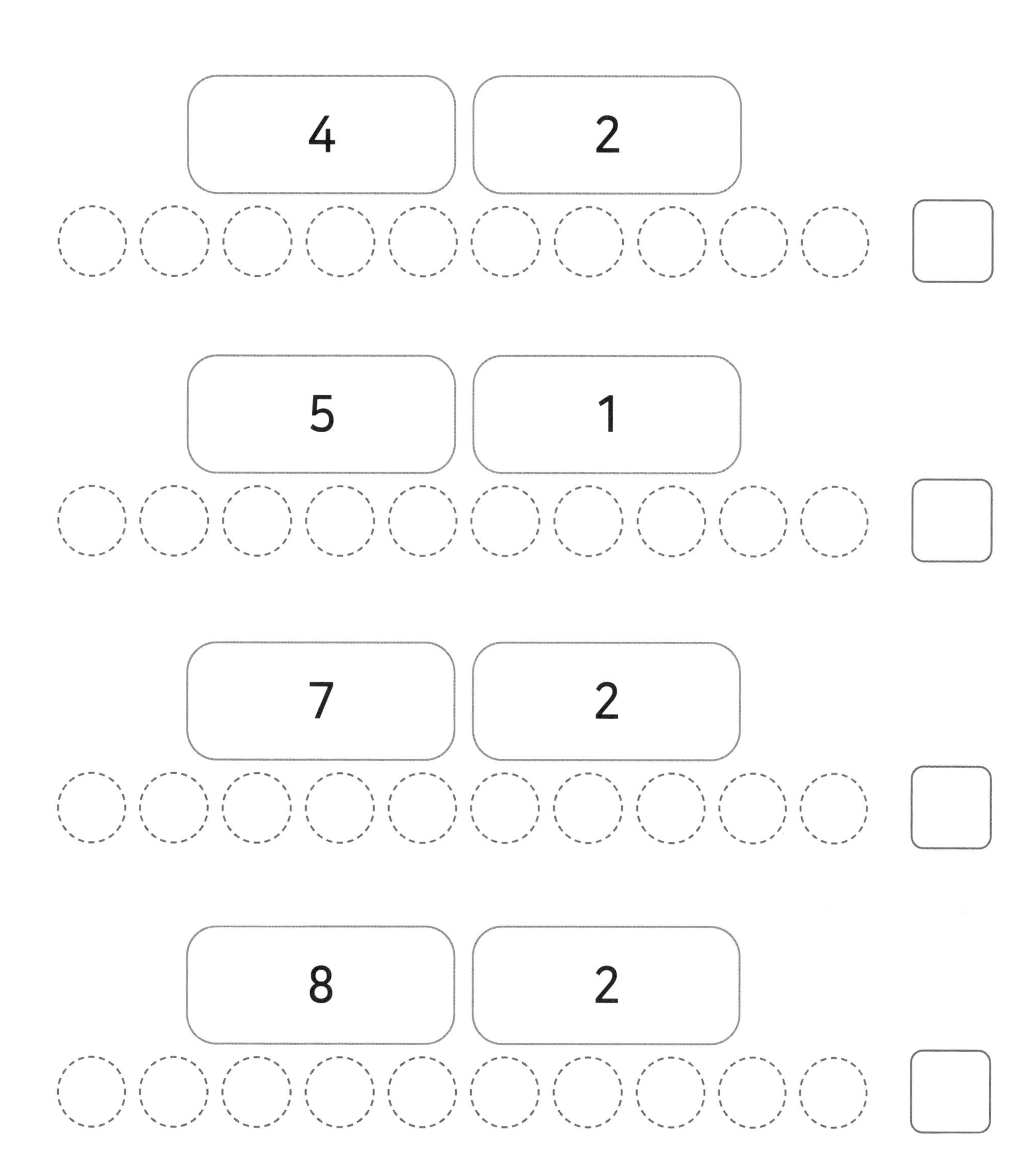

1 적게 세기

왼쪽 그림보다 개수가 1 적은 것을 선으로 이으세요.

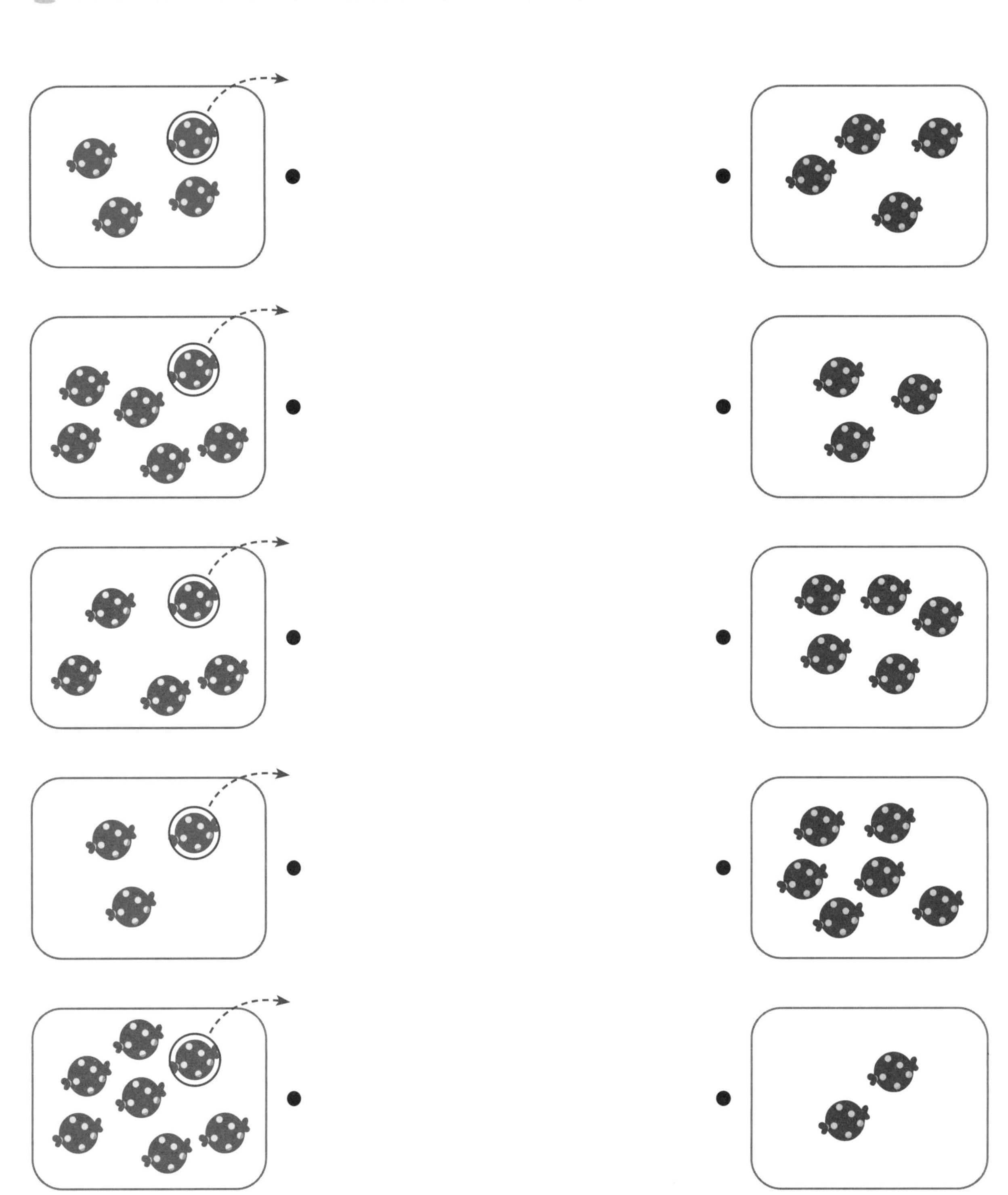

색칠된 ◯ 중에서 1개를 /표로 지우고, □ 안에 남은 ●의 개수를 쓰세요.

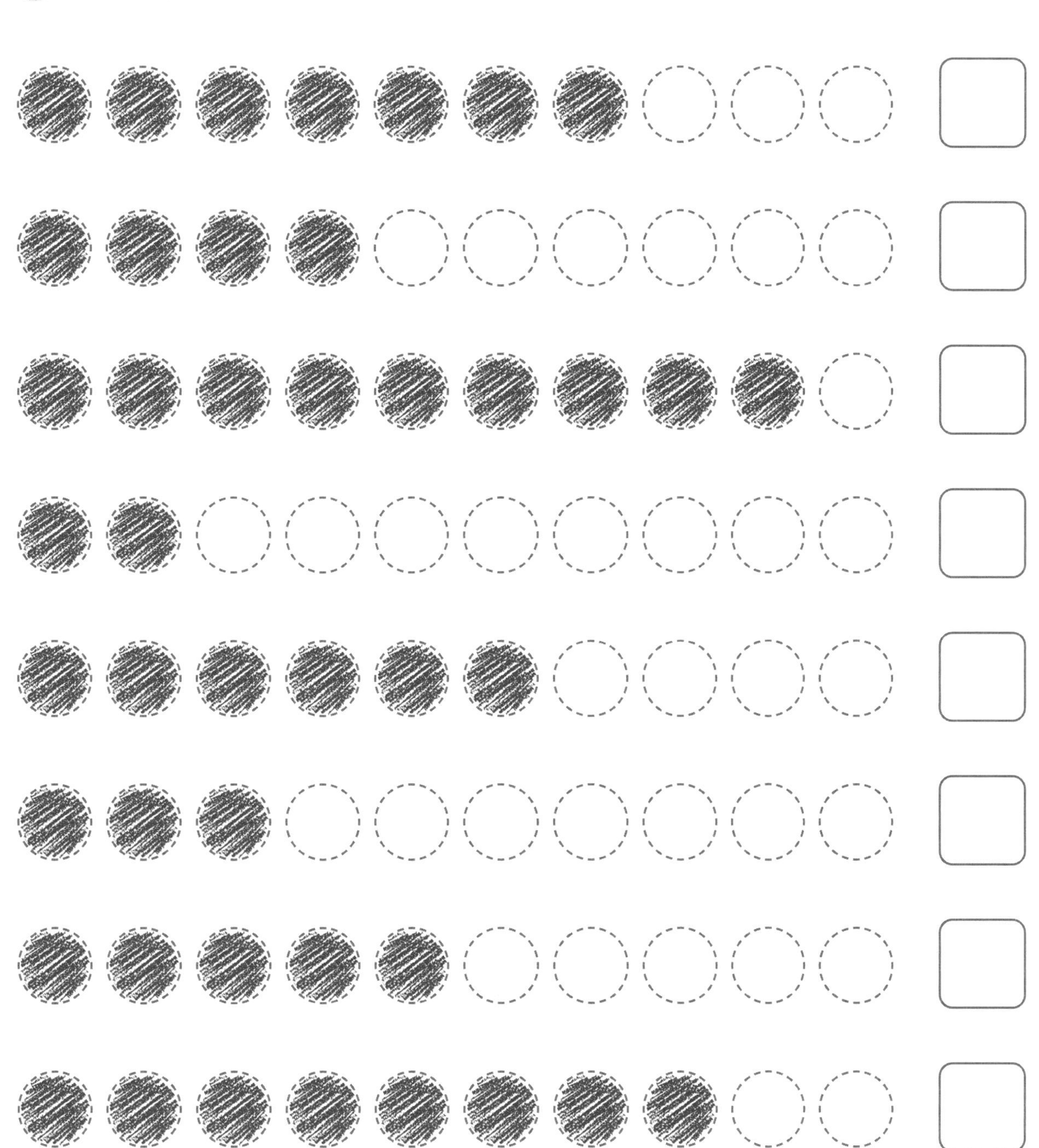

◯ 1개를 /표로 지우고 처음 그림보다 1 적은 수를 쓰세요.

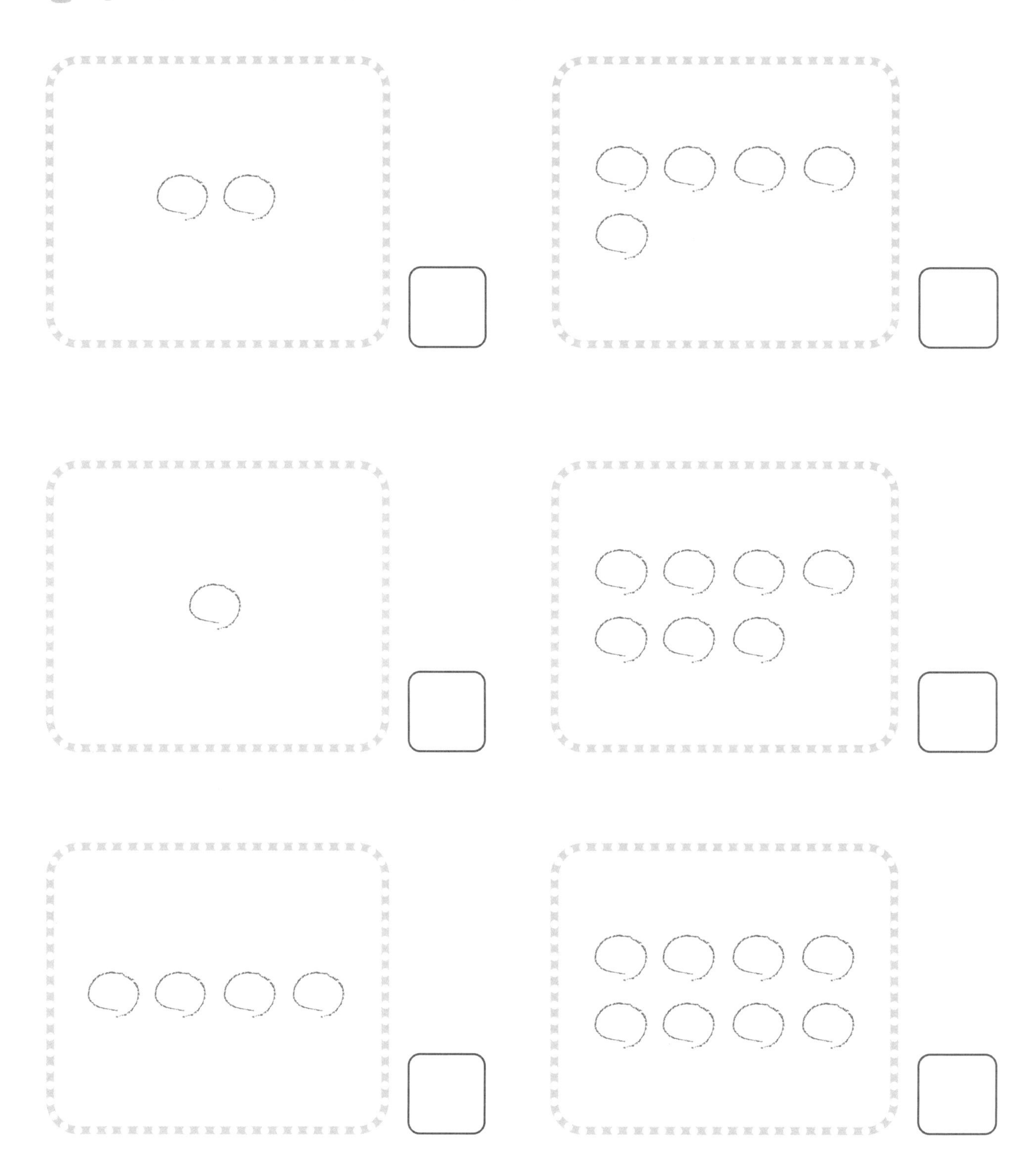

2 적게 세기

왼쪽 그림보다 개수가 2 적은 것을 선으로 이으세요.

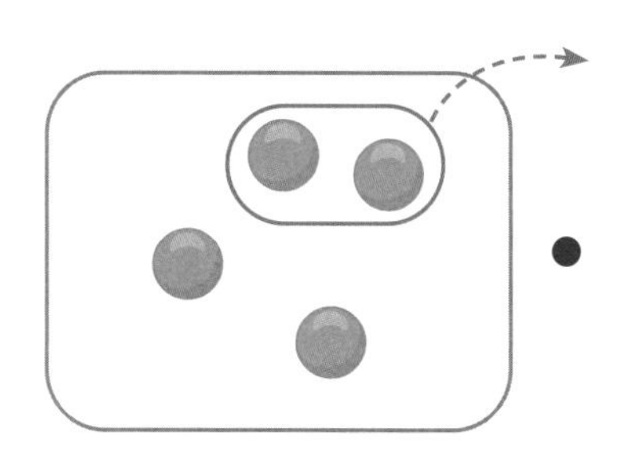
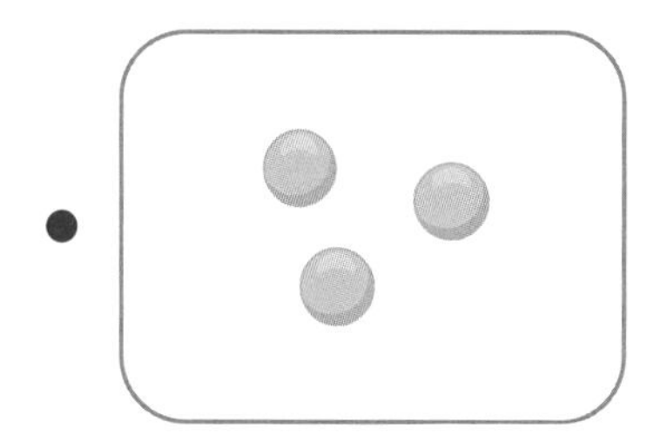
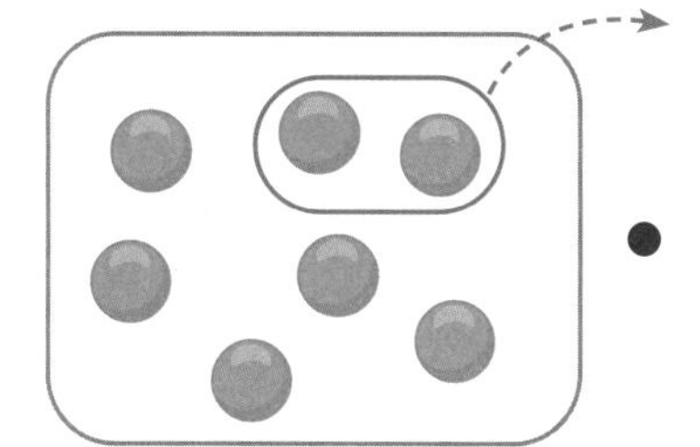
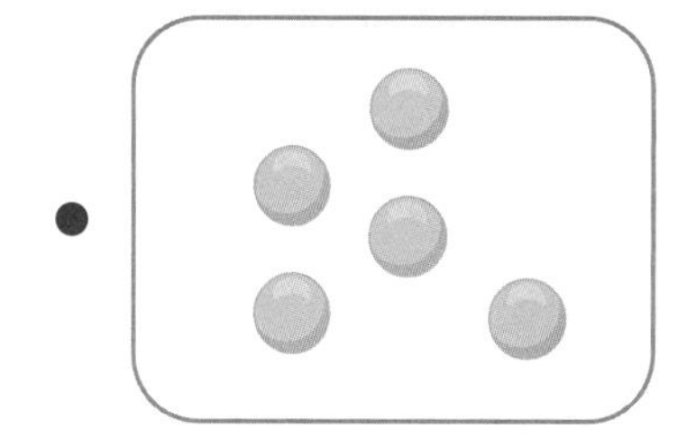
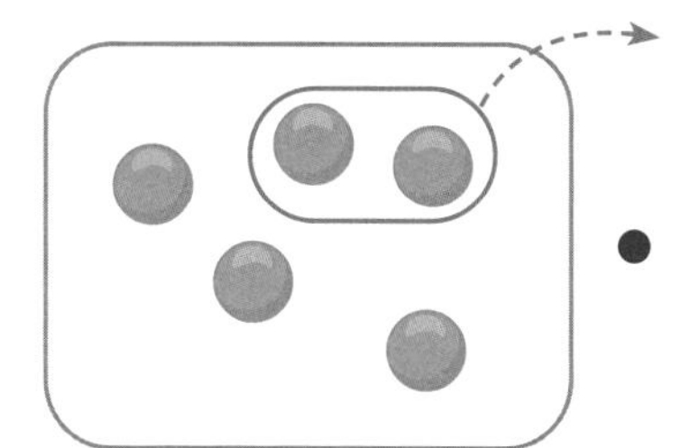
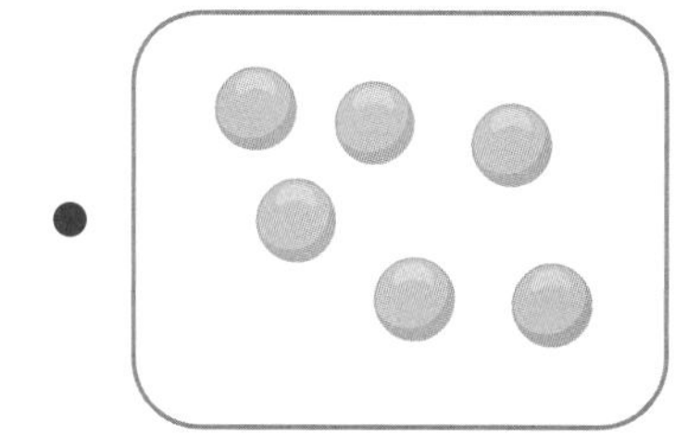
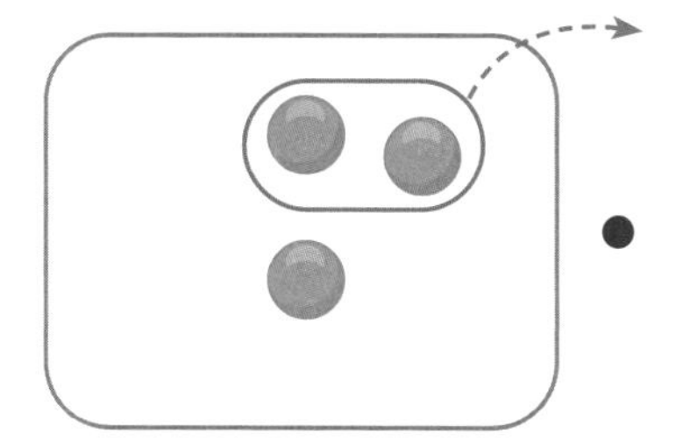

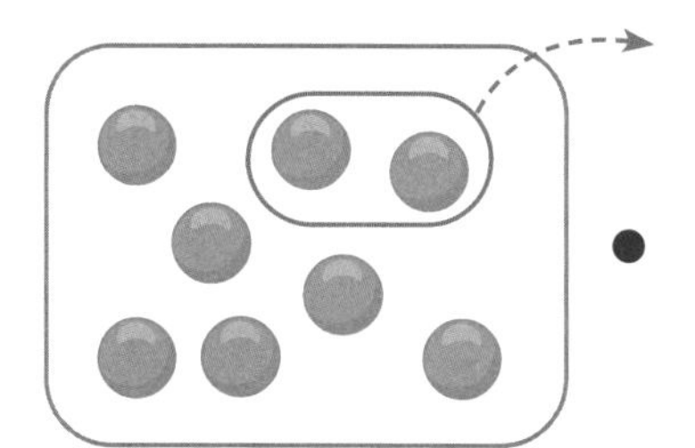
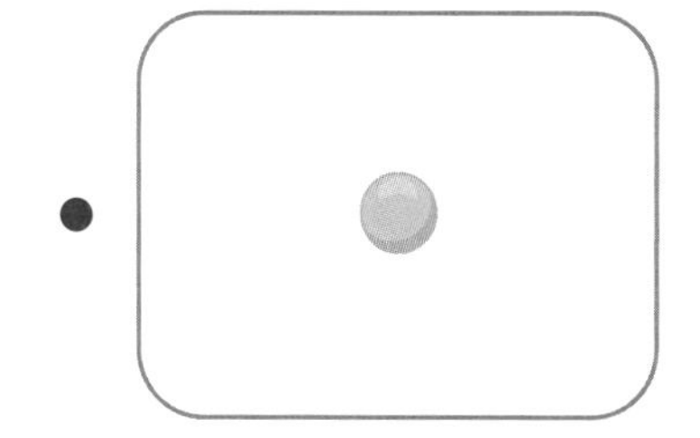

색칠된 ◯ 중에서 2개를 /표로 지우고, □ 안에 남은 ●의 개수를 쓰세요.

◯ 2개를 /표로 지우고 처음 그림보다 2 적은 수를 쓰세요.

사고력 팡팡 - 그림자 놀이

저녁 시간에 방에 불을 끄고 불빛을 비추어 손 모양을 아래와 같이 만들어서 벽에 비추고 이름을 붙여 보세요.

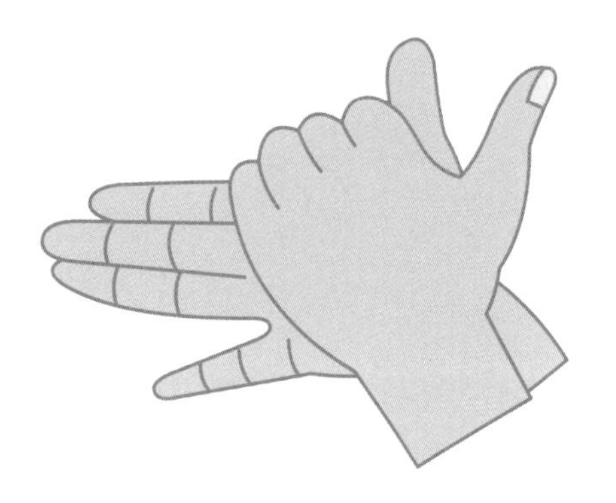

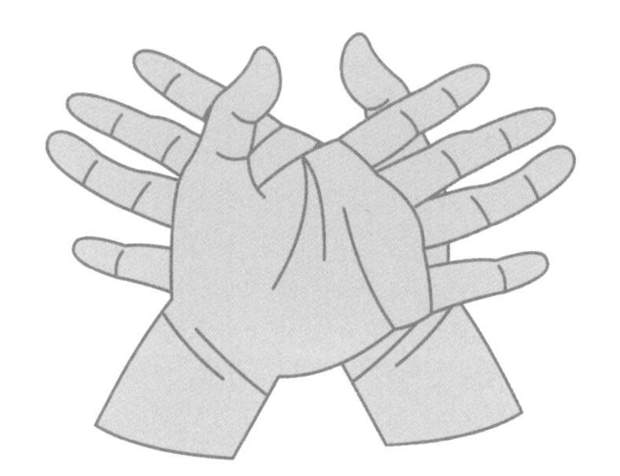

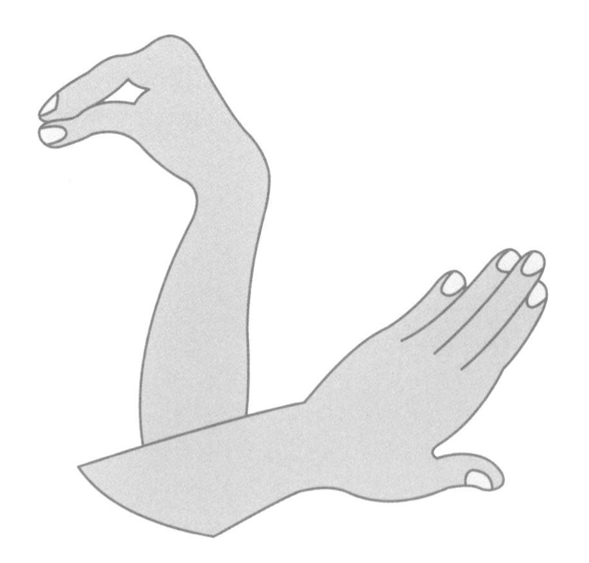

Tip
답이 있기 보다 다양한 이름을 붙일 수 있습니다. 개, 게, 여우, 오리의 모양입니다.

그림자에 없는 물건에 X표 하세요.

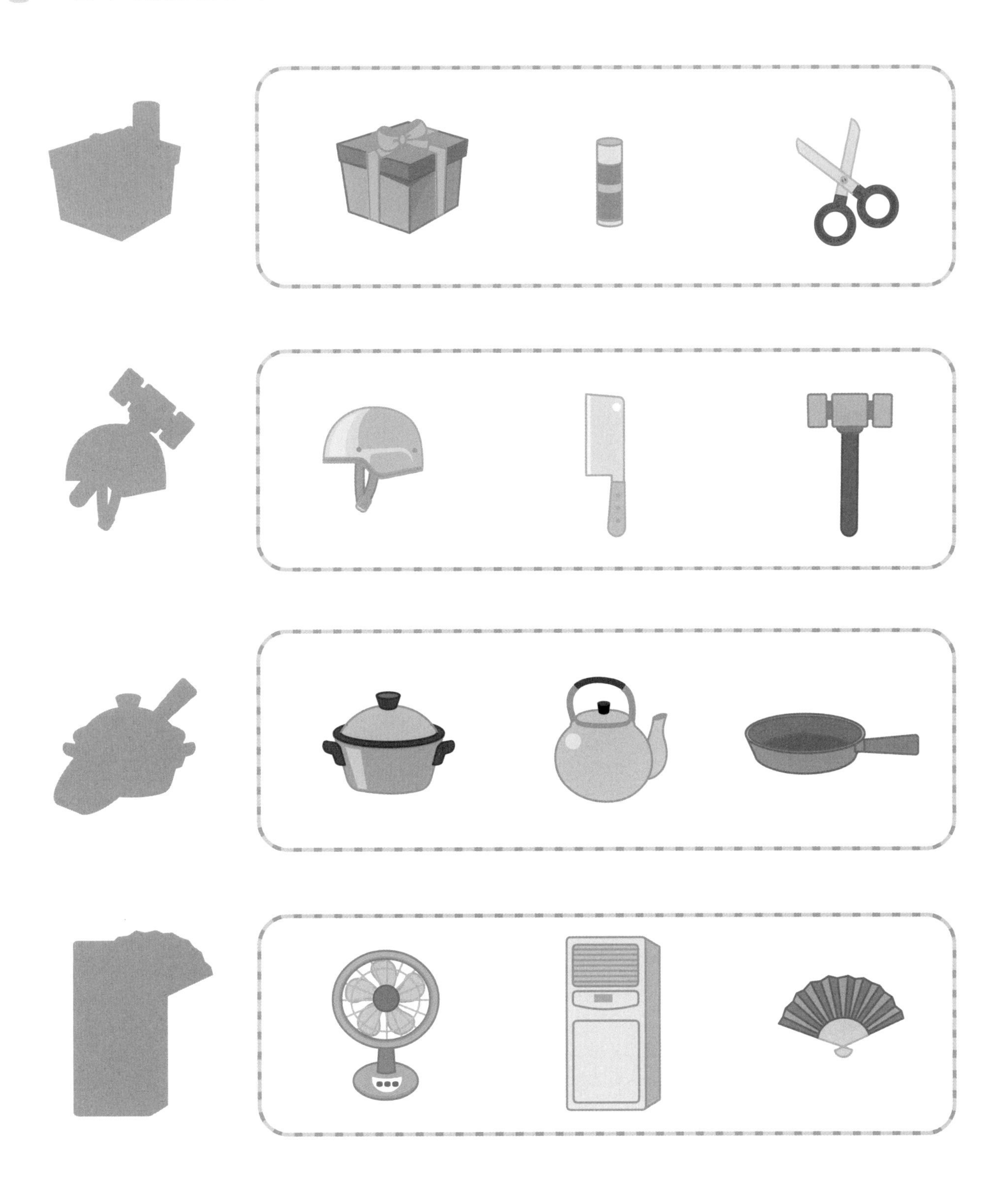

누구의 그림자인지 찾아서 선으로 이으세요.

MEMO

MEMO

자르는 선

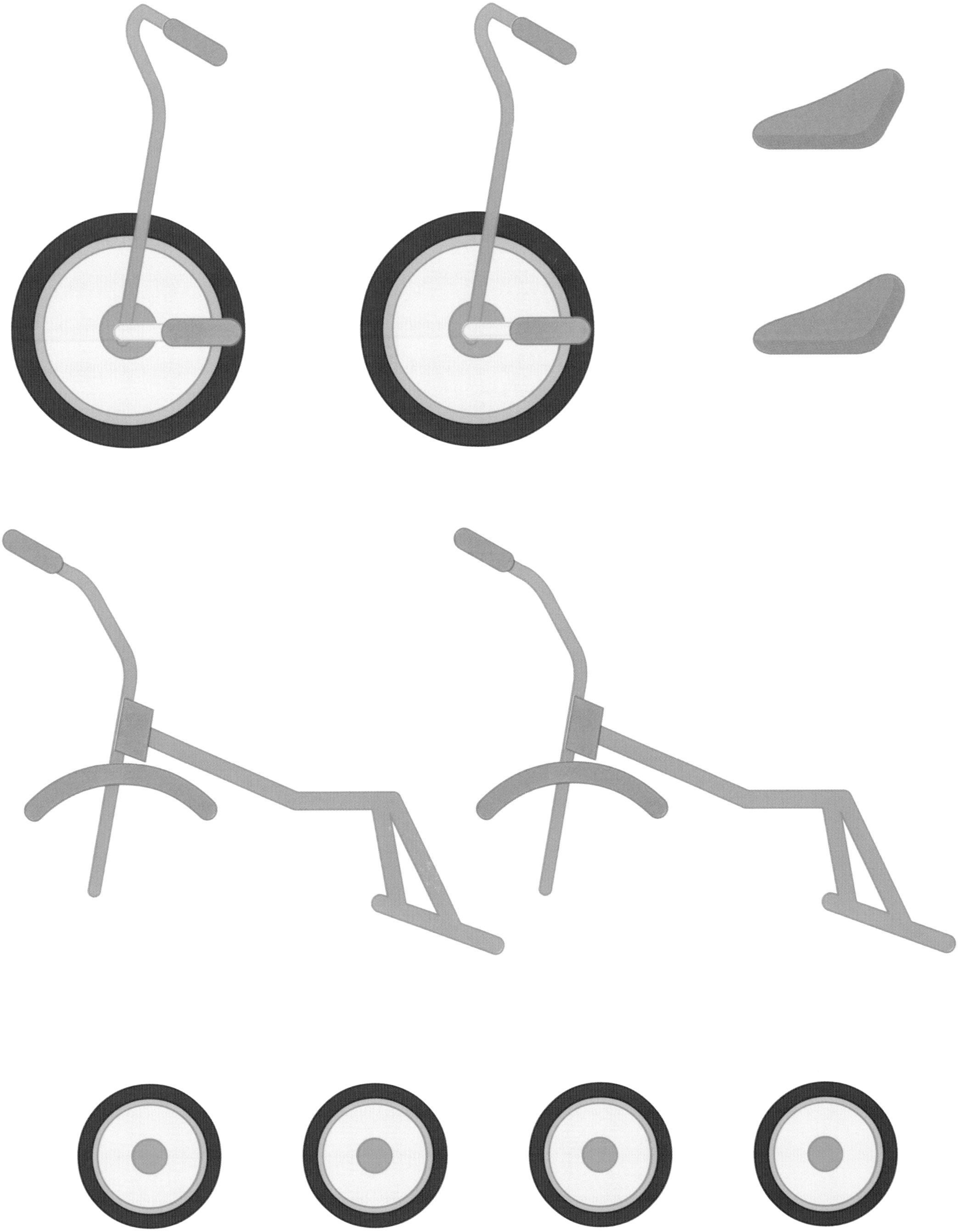

자르는 선

P. 60 ~ 62

자르는 선

총괄 테스트

09 수와 ○의 개수가 같도록 ○를 /표로 지우세요.

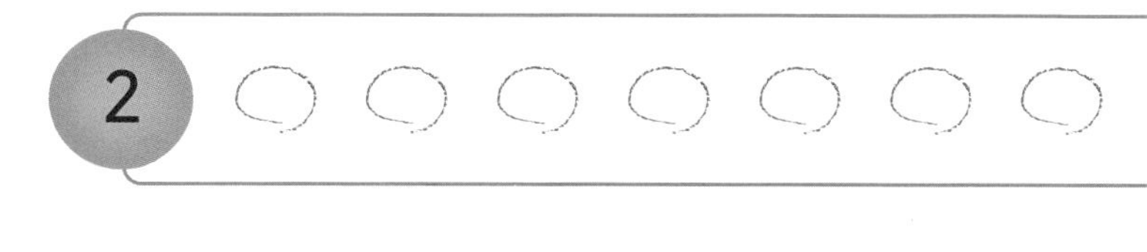

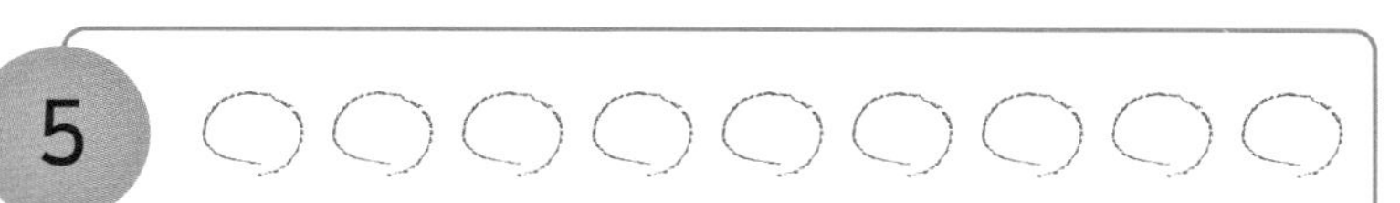

10 연필과 지우개의 개수가 같도록 지우개 몇 개를 /표로 지우세요.

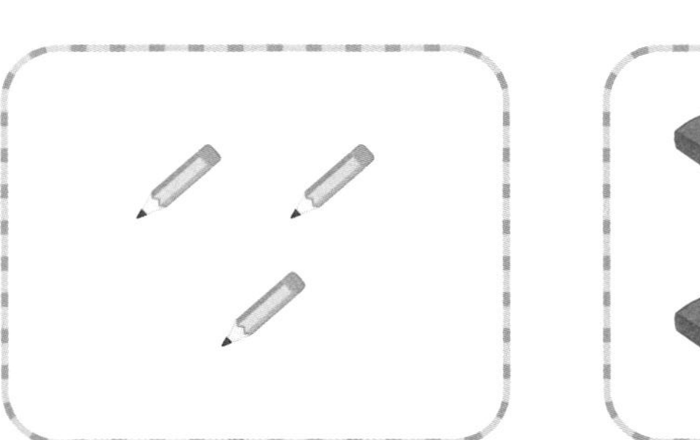

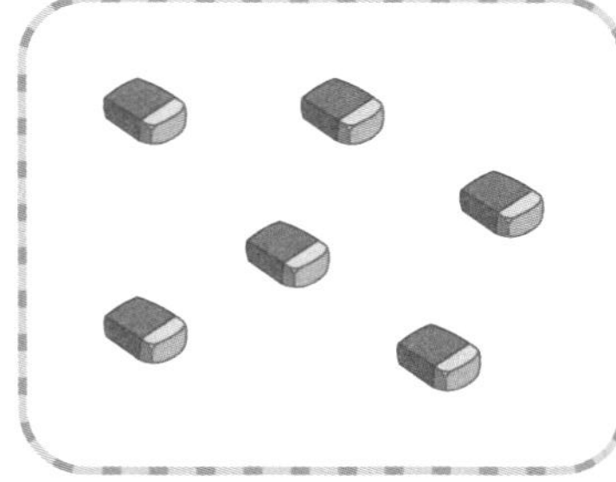

11 구슬 몇 개를 다른 손에 옮기고 손을 오므렸어요. 오므린 손 안의 구슬은 모두 몇 개인지 쓰세요.

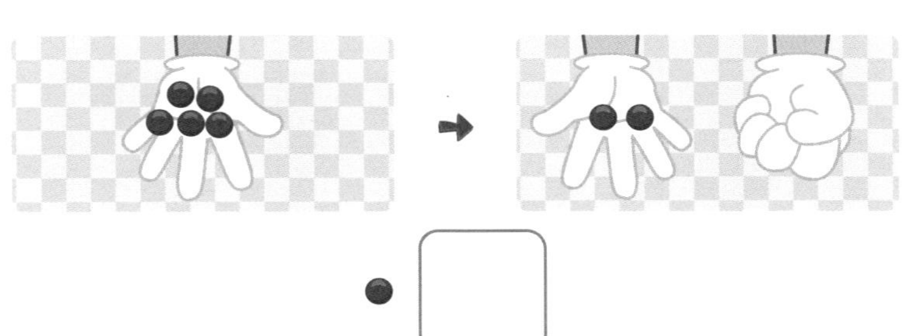

●

12 친구들이 바나나를 똑같이 5개씩 나누어 가졌어요. 먹고 남은 바나나를 보고 친구들이 먹은 바나나의 개수를 쓰세요.

5개

5개

5개

13 먹은 사탕의 개수만큼 /표로 지우고, 남은 사탕이 몇 개인지 쓰세요.

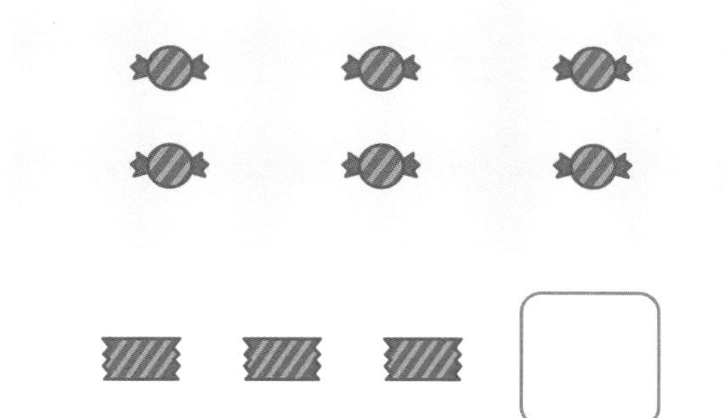

14 왼쪽 수만큼 ○를 그리고, 오른쪽 수만큼 /표로 지운 후 남은 ○의 개수를 쓰세요.

15 ○ 1개를 /표로 지우고 처음 그림보다 1 적은 수를 쓰세요.

16 색칠된 ○ 중에서 2개를 /표로 지우고, □ 안에 남은 ●의 개수를 쓰세요.

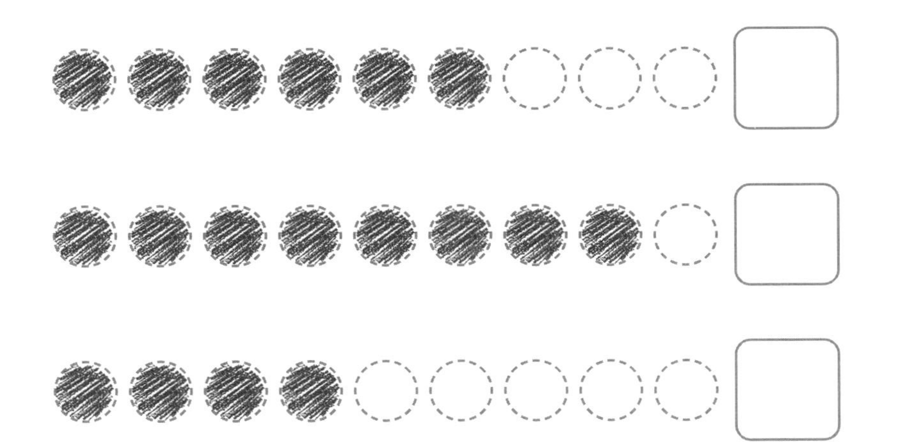

총괄 테스트

이름 점수

01 사탕이 있었는데 몇 개를 먹었어요. 남은 사탕의 개수를 쓰세요.

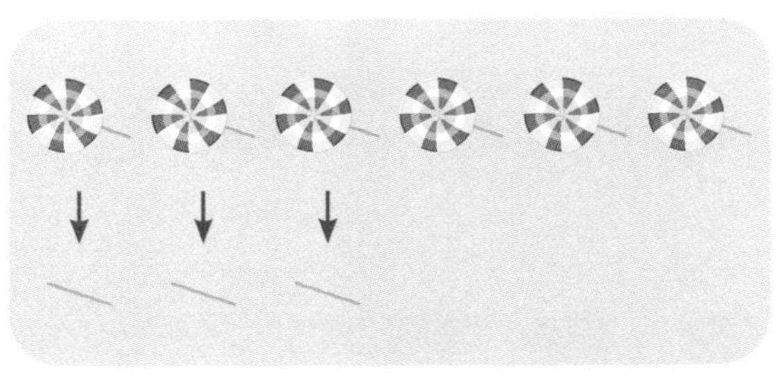

02 당근이 있었는데 몇 개를 먹었어요. 남은 당근의 개수에 ○표 하세요.

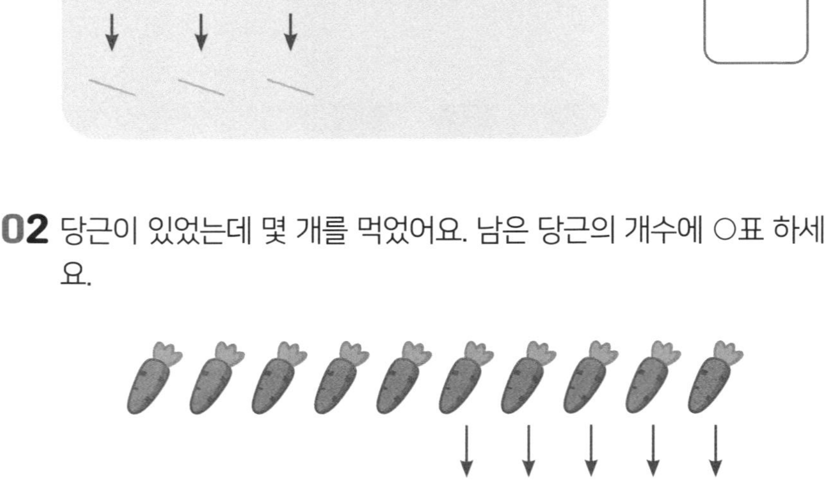

1	2	3	4	5
6	7	8	9	10

03 왼쪽 수만큼 사과에 X표 하고 남은 사과의 개수를 쓰세요.

3

04 바나나를 들고 길을 가던 원숭이가 바나나 몇 개를 흘렸어요. 길에 적힌 바나나의 수만큼 X표 하고 남은 바나나의 수에 ○표 하세요.

05 사탕이 있었는데 몇 개를 먹었어요. 남은 사탕을 보고 먹은 사탕의 개수를 쓰세요.

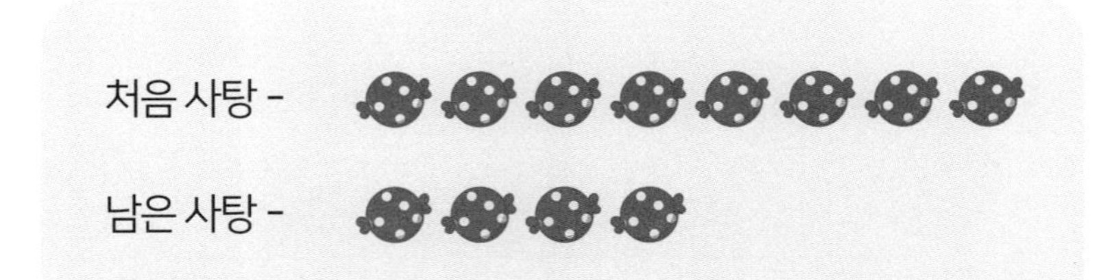

06 그림을 1개씩 선으로 연결하고 더 많은 것이 몇 개 많은지 수를 쓰세요.

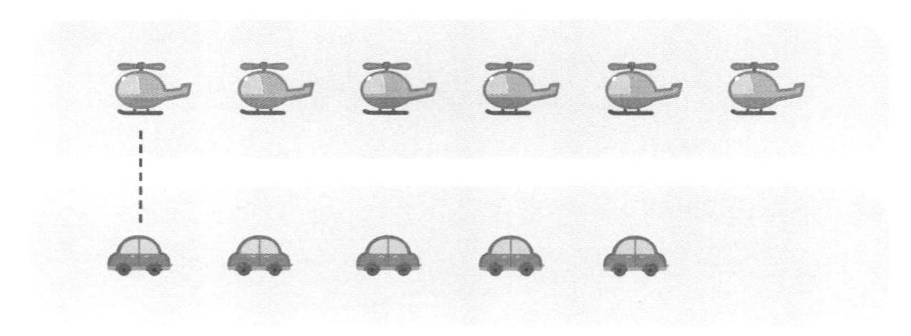

07 빨간색 책과 초록색 책 중에서 더 많은 것이 몇 개 많은지 쓰세요.

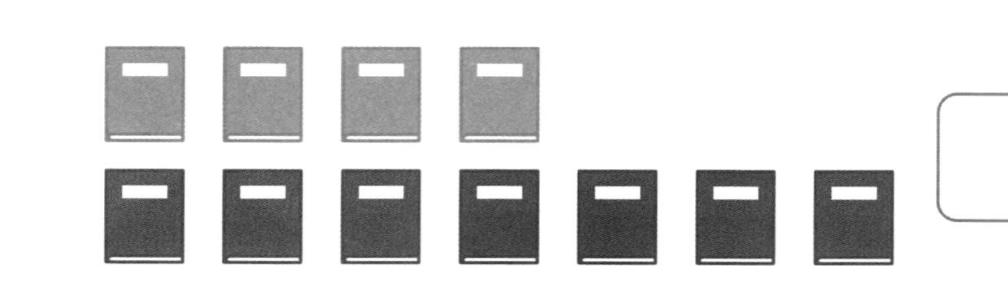

08 왼쪽 그림이 되도록 오른쪽에 작은 그림이 들어갈 위치에 번호를 쓰세요.

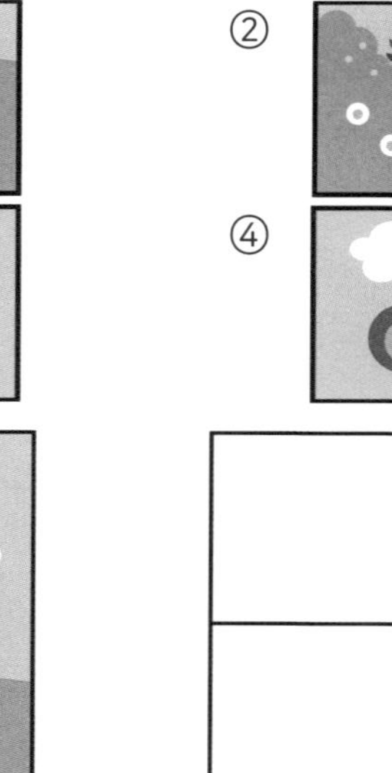

우리 아이 첫 수학은 유자수가 답이다

방송에서 화제가 된 바로 그 교재!

생각과 자신감이 커지는 유아 자신감 수학!

방송 영상

유자수 소개 영상

실력도 탑! 재미도 탑!

사고력 수학의 으뜸!

TOP 사고력 수학

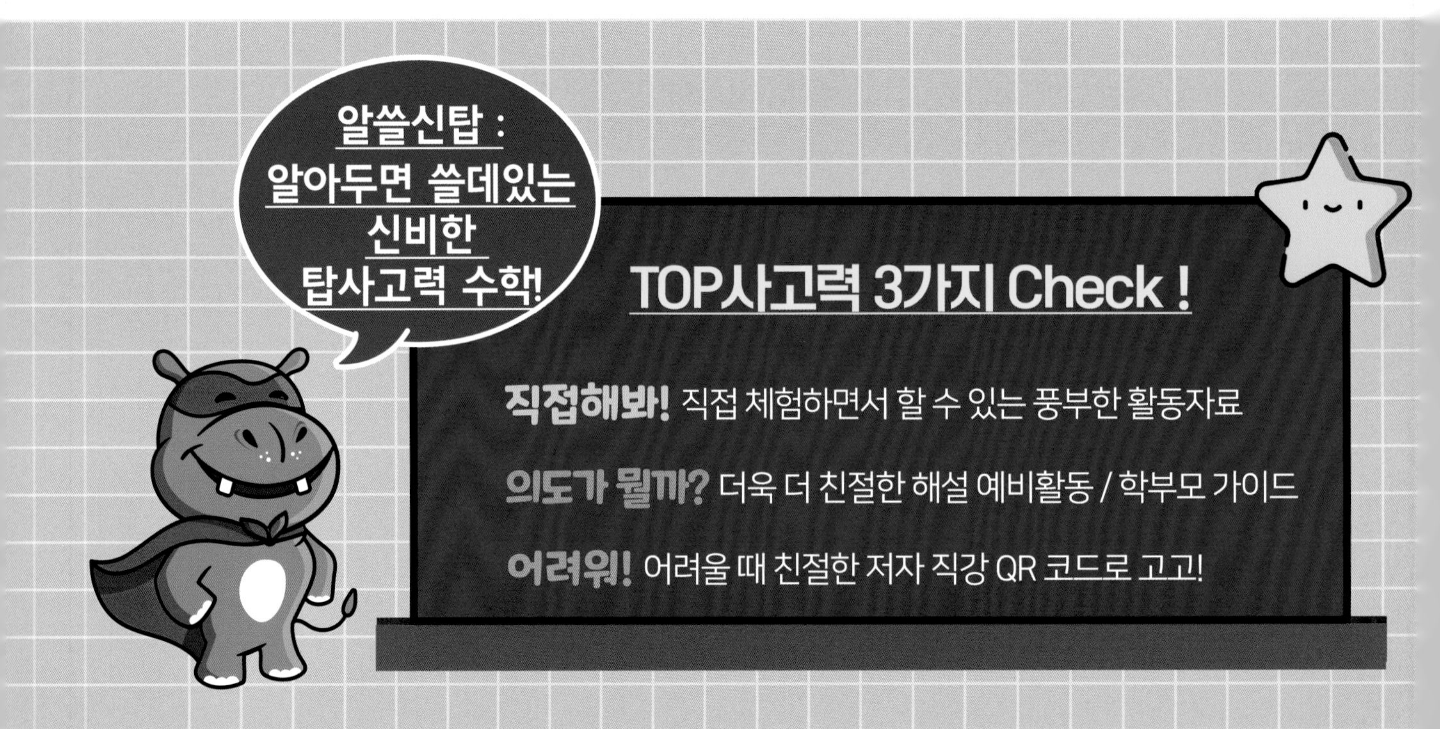

하루 10분

★ ★ ★

|단계별 유아 원리 연산|

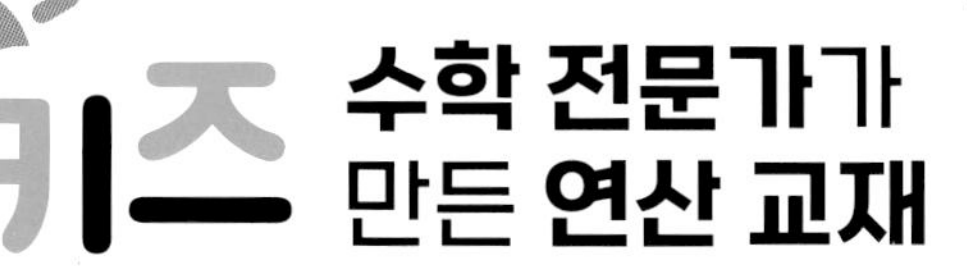

키즈 수학 전문가가 만든 연산 교재

원리셈

천종현 지음

정답

5·6세 | 5권 | 빼어 세기

천종현수학연구소

총괄 테스트 정답

키즈 원리셈 5·6세

5권 빼어 세기

총괄 테스트

이름 점수

01 사탕이 있었는데 몇 개를 먹었어요. 남은 사탕의 개수를 쓰세요.

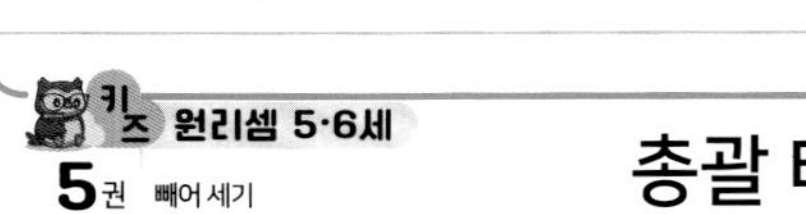

3

02 당근이 있었는데 몇 개를 먹었어요. 남은 당근의 개수에 ○표 하세요.

1	2	3	4	(5)
6	7	8	9	10

03 왼쪽 수만큼 사과에 X표 하고 남은 사과의 개수를 쓰세요.

3

3

04 바나나를 들고 길을 가던 원숭이가 바나나 몇 개를 흘렸어요. 길에 적힌 바나나의 수만큼 X표 하고 남은 바나나의 수에 ○표 하세요.

05 사탕이 있었는데 몇 개를 먹었어요. 남은 사탕을 보고 먹은 사탕의 개수를 쓰세요.

처음 사탕 -

남은 사탕 -

4

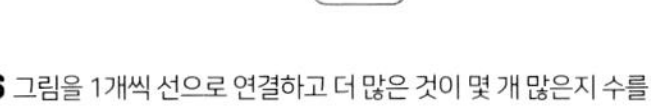

06 그림을 1개씩 선으로 연결하고 더 많은 것이 몇 개 많은지 수를 쓰세요.

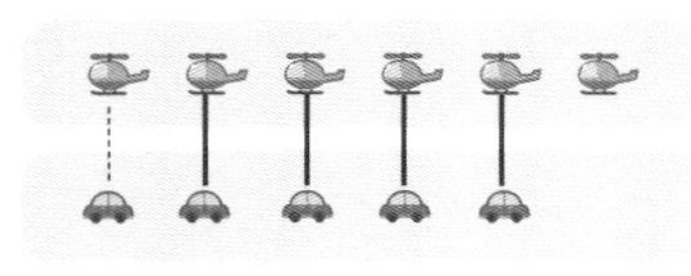

1

07 빨간색 책과 초록색 책 중에서 더 많은 것이 몇 개 많은지 쓰세요.

3

08 왼쪽 그림이 되도록 오른쪽에 작은 그림이 들어갈 위치에 번호를 쓰세요.

④	③
②	①

09 수와 ○의 개수가 같도록 ○를 /표로 지우세요.

2

5

10 연필과 지우개의 개수가 같도록 지우개 몇 개를 /표로 지우세요.

11 구슬 몇 개를 다른 손에 옮기고 손을 오므렸어요. 오므린 손 안의 구슬은 모두 몇 개인지 쓰세요.

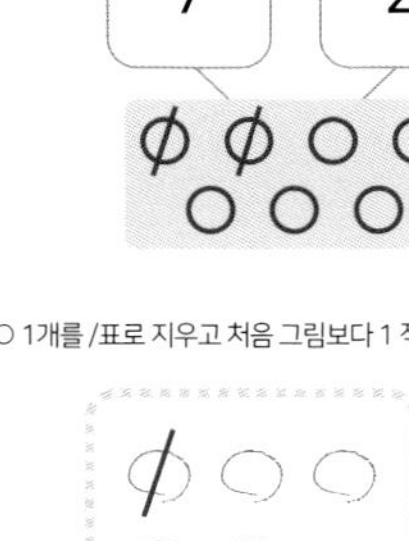

3

12 친구들이 바나나를 똑같이 5개씩 나누어 가졌어요. 먹고 남은 바나나를 보고 친구들이 먹은 바나나의 개수를 쓰세요.

5개 5개 5개

4 2 3

13 먹은 사탕의 개수만큼 /표로 지우고, 남은 사탕이 몇 개인지 쓰세요.

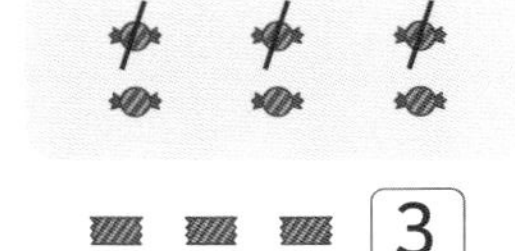

3

14 왼쪽 수만큼 ○를 그리고, 오른쪽 수만큼 /표로 지운 후 남은 ○의 개수를 쓰세요.

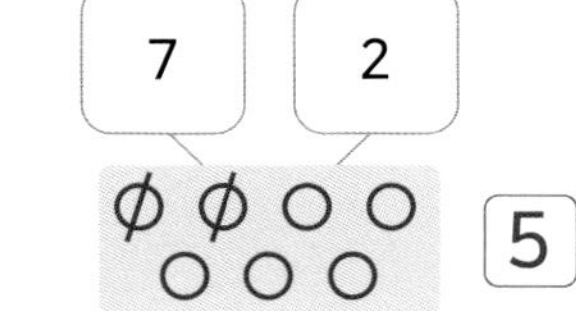

5

15 ○ 1개를 /표로 지우고 처음 그림보다 1 적은 수를 쓰세요.

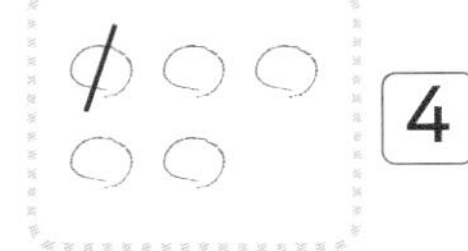

4

16 색칠된 ○ 중에서 2개를 /표로 지우고, □ 안에 남은 ●의 개수를 쓰세요.

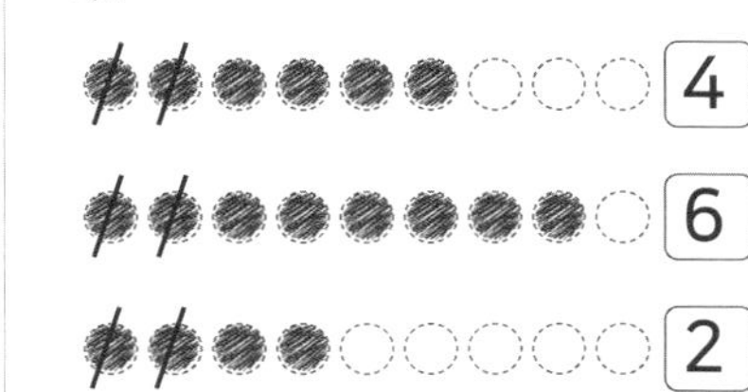

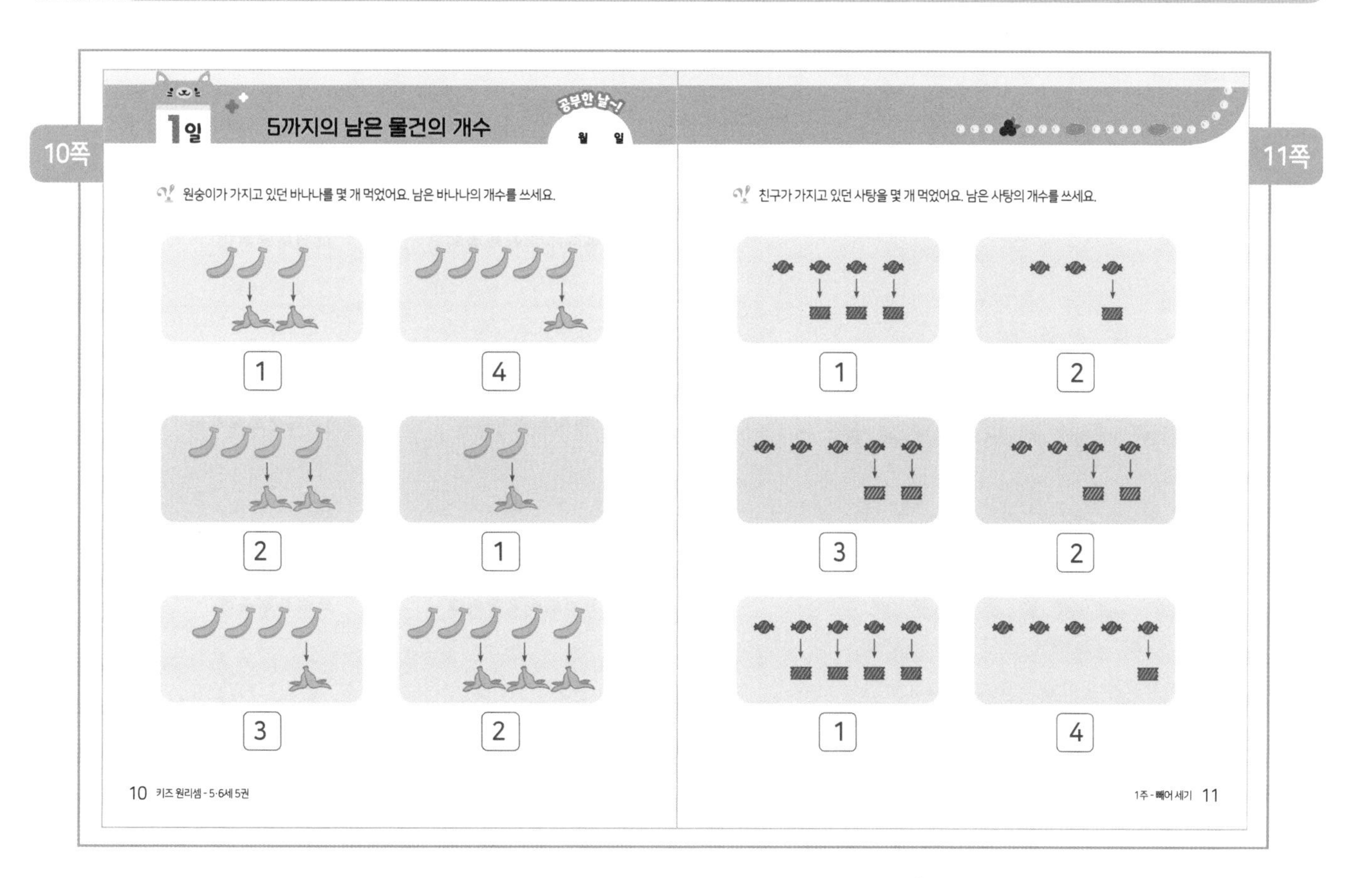
10쪽

1일 5까지의 남은 물건의 개수

공부한 날~! 월 일

원숭이가 가지고 있던 바나나를 몇 개 먹었어요. 남은 바나나의 개수를 쓰세요.

1 4

2 1

3 2

10 키즈 원리셈 - 5·6세 5권

11쪽

친구가 가지고 있던 사탕을 몇 개 먹었어요. 남은 사탕의 개수를 쓰세요.

1 2

3 2

1 4

1주 - 빼어 세기 11

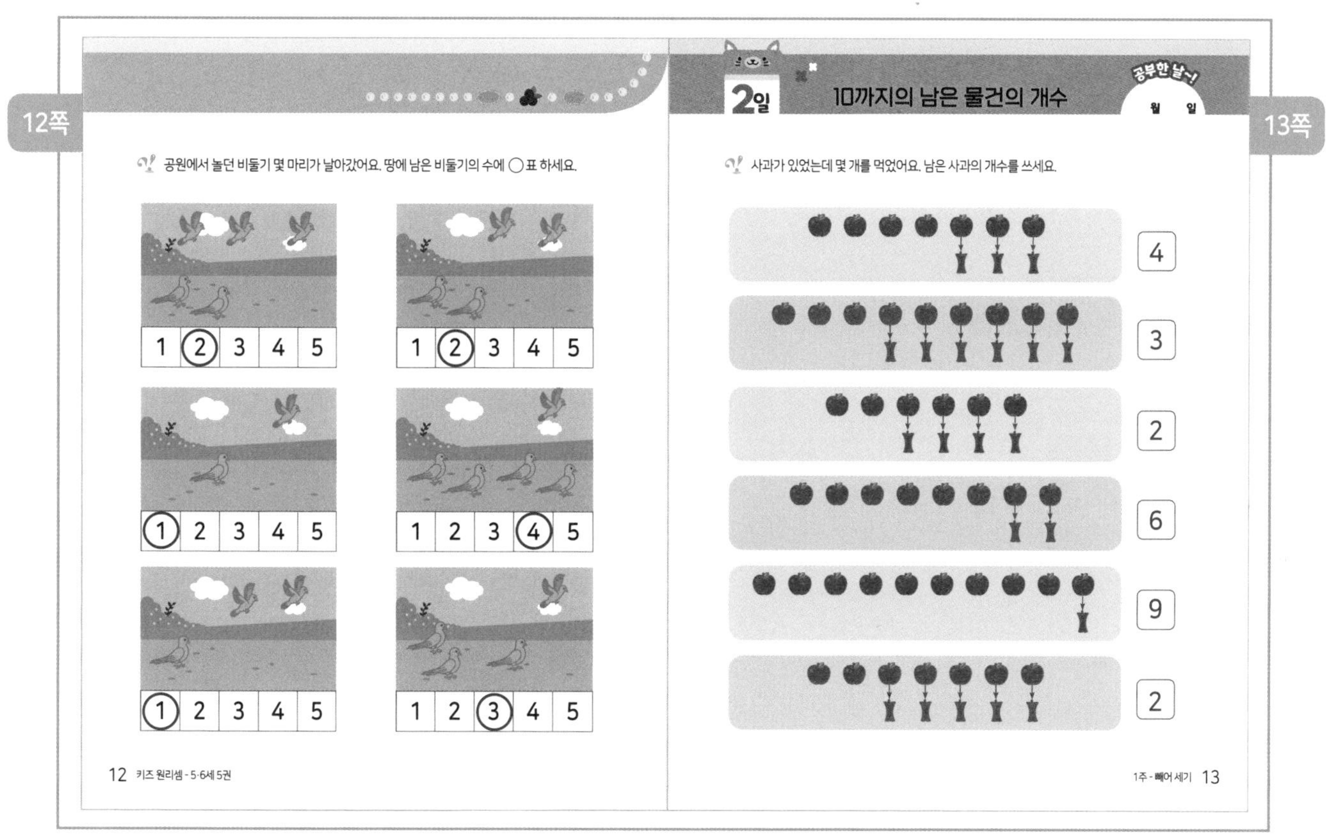
12쪽

공원에서 놀던 비둘기 몇 마리가 날아갔어요. 땅에 남은 비둘기의 수에 ○표 하세요.

1	(2)	3	4	5

1	(2)	3	4	5

(1)	2	3	4	5

1	2	3	(4)	5

(1)	2	3	4	5

1	2	(3)	4	5

12 키즈 원리셈 - 5·6세 5권

13쪽

2일 10까지의 남은 물건의 개수

공부한 날~! 월 일

사과가 있었는데 몇 개를 먹었어요. 남은 사과의 개수를 쓰세요.

4

3

2

6

9

2

1주 - 빼어 세기 13

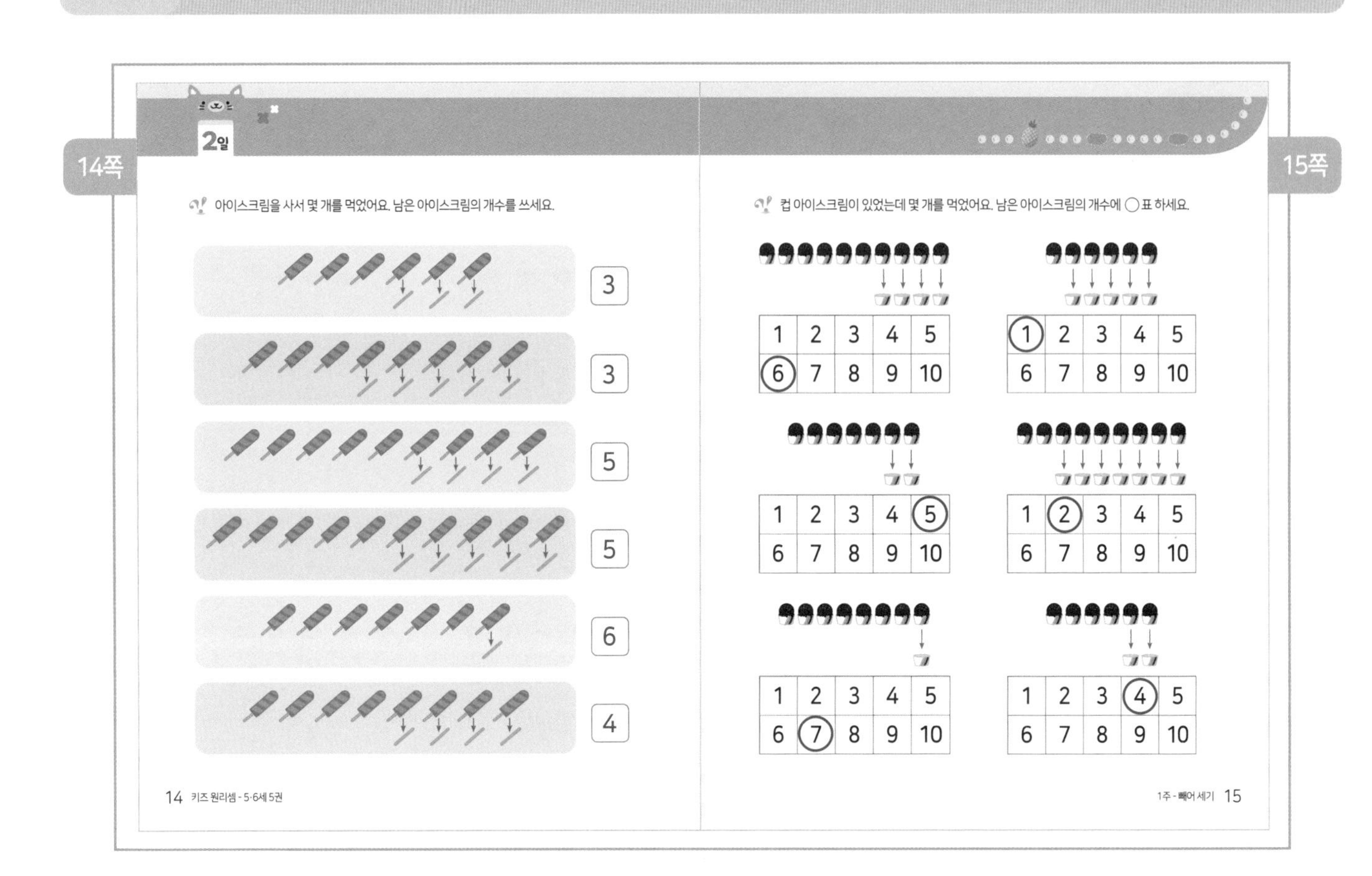

14쪽

2일

아이스크림을 사서 몇 개를 먹었어요. 남은 아이스크림의 개수를 쓰세요.

3

3

5

5

6

4

14 키즈 원리셈 - 5·6세 5권

15쪽

컵 아이스크림이 있었는데 몇 개를 먹었어요. 남은 아이스크림의 개수에 ○표 하세요.

1	2	3	4	5
(6)	7	8	9	10

(1)	2	3	4	5
6	7	8	9	10

1	2	3	4	(5)
6	7	8	9	10

1	(2)	3	4	5
6	7	8	9	10

1	2	3	4	5
6	(7)	8	9	10

1	2	3	(4)	5
6	7	8	9	10

1주 - 빼어 세기 15

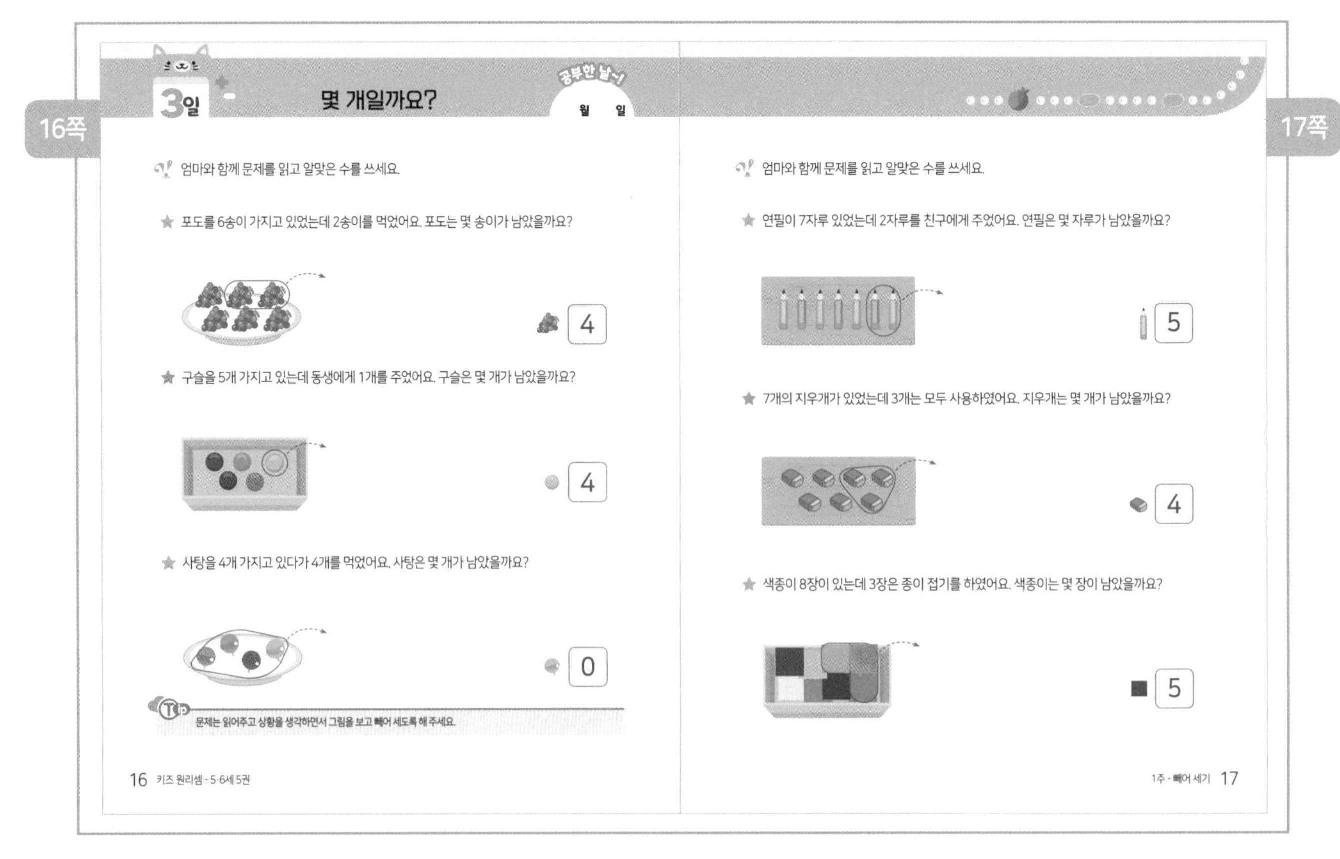

16쪽

3일 몇 개일까요?

공부한 날~! 월 일

엄마와 함께 문제를 읽고 알맞은 수를 쓰세요.

★ 포도를 6송이 가지고 있었는데 2송이를 먹었어요. 포도는 몇 송이가 남았을까요?

4

★ 구슬을 5개 가지고 있는데 동생에게 1개를 주었어요. 구슬은 몇 개가 남았을까요?

4

★ 사탕을 4개 가지고 있다가 4개를 먹었어요. 사탕은 몇 개가 남았을까요?

0

Tip 문제는 읽어주고 상황을 생각하면서 그림을 보고 빼어 세도록 해 주세요.

16 키즈 원리셈 - 5·6세 5권

17쪽

엄마와 함께 문제를 읽고 알맞은 수를 쓰세요.

★ 연필이 7자루 있었는데 2자루를 친구에게 주었어요. 연필은 몇 자루가 남았을까요?

5

★ 7개의 지우개가 있었는데 3개는 모두 사용하였어요. 지우개는 몇 개가 남았을까요?

4

★ 색종이 8장이 있는데 3장은 종이 접기를 하였어요. 색종이는 몇 장이 남았을까요?

5

1주 - 빼어 세기 17

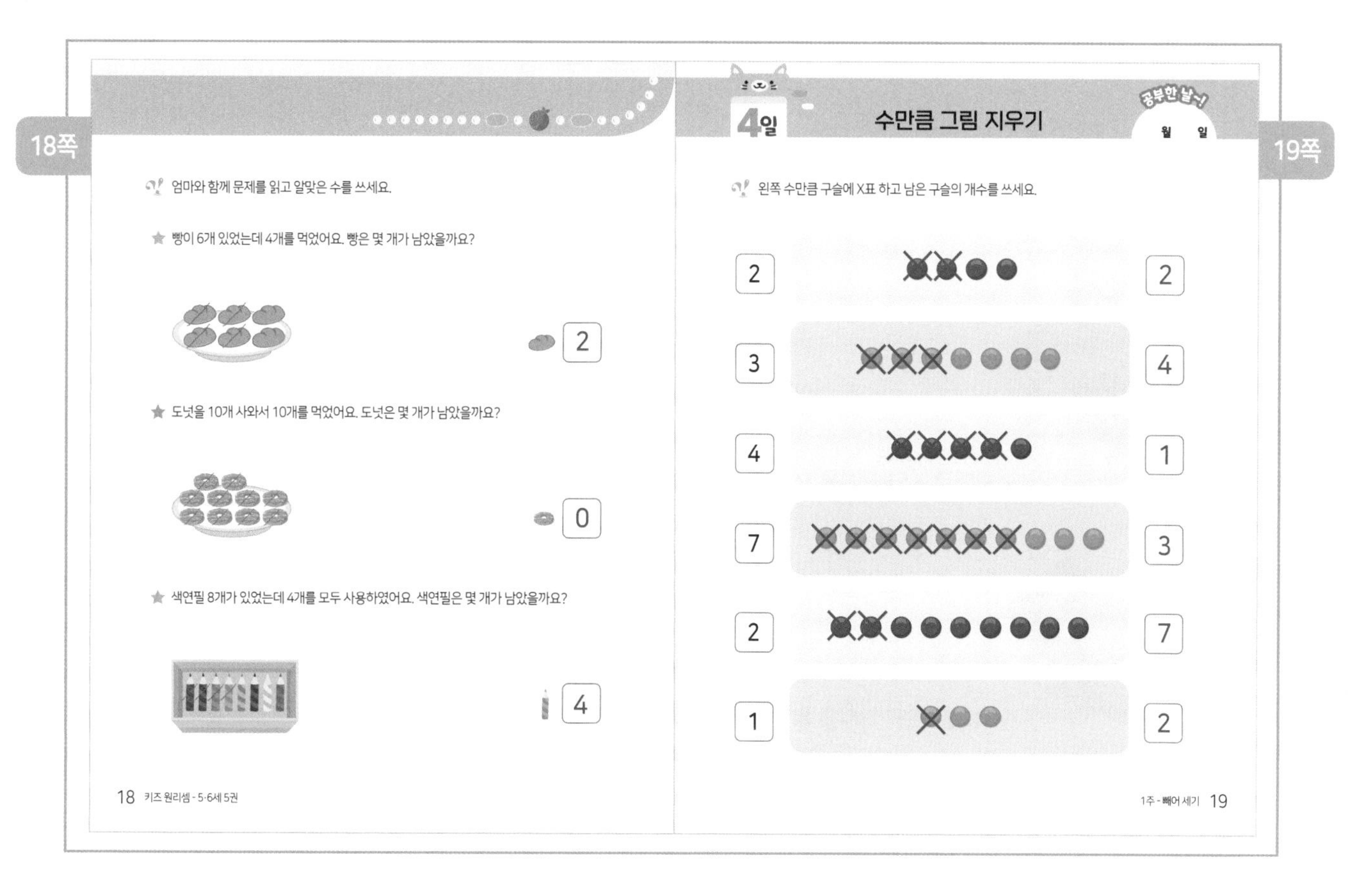
18쪽
엄마와 함께 문제를 읽고 알맞은 수를 쓰세요.
빵이 6개 있었는데 4개를 먹었어요. 빵은 몇 개가 남았을까요?
2
도넛을 10개 사와서 10개를 먹었어요. 도넛은 몇 개가 남았을까요?
0
색연필 8개가 있었는데 4개를 모두 사용하였어요. 색연필은 몇 개가 남았을까요?
4
18 키즈 원리셈 - 5·6세 5권
19쪽
4일
수만큼 그림 지우기
공부한 날~!
월 일
왼쪽 수만큼 구슬에 X표 하고 남은 구슬의 개수를 쓰세요.
2
2
3
4
4
1
7
3
2
7
1
2
1주 - 빼어 세기 19

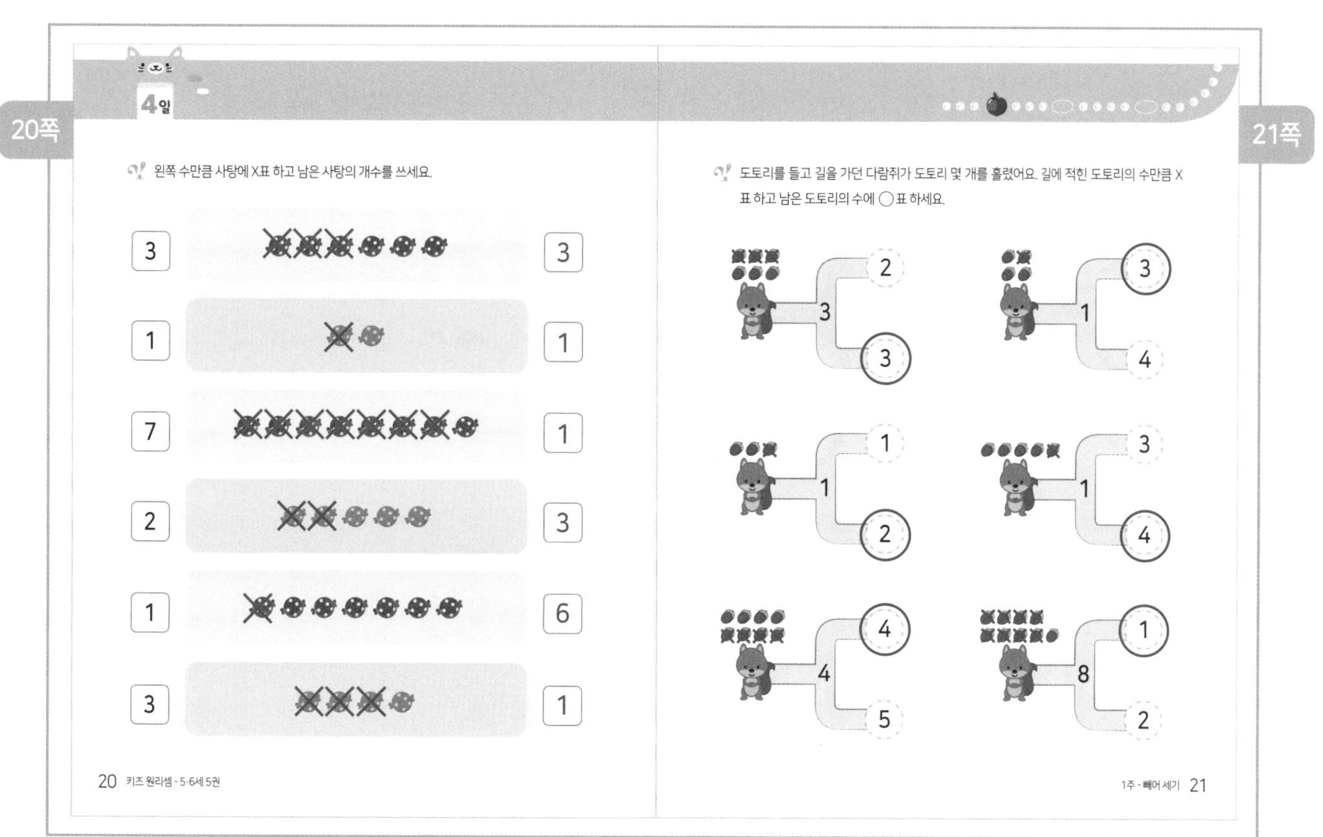
20쪽
4일
왼쪽 수만큼 사탕에 X표 하고 남은 사탕의 개수를 쓰세요.
3
3
1
1
7
1
2
3
1
6
3
1
20 키즈 원리셈 - 5·6세 5권
21쪽
도토리를 들고 길을 가던 다람쥐가 도토리 몇 개를 흘렸어요. 길에 적힌 도토리의 수만큼 X표 하고 남은 도토리의 수에 ◯표 하세요.
2
3
3
3
1
4
1
1
2
3
1
4
4
4
5
1
8
2
1주 - 빼어 세기 21

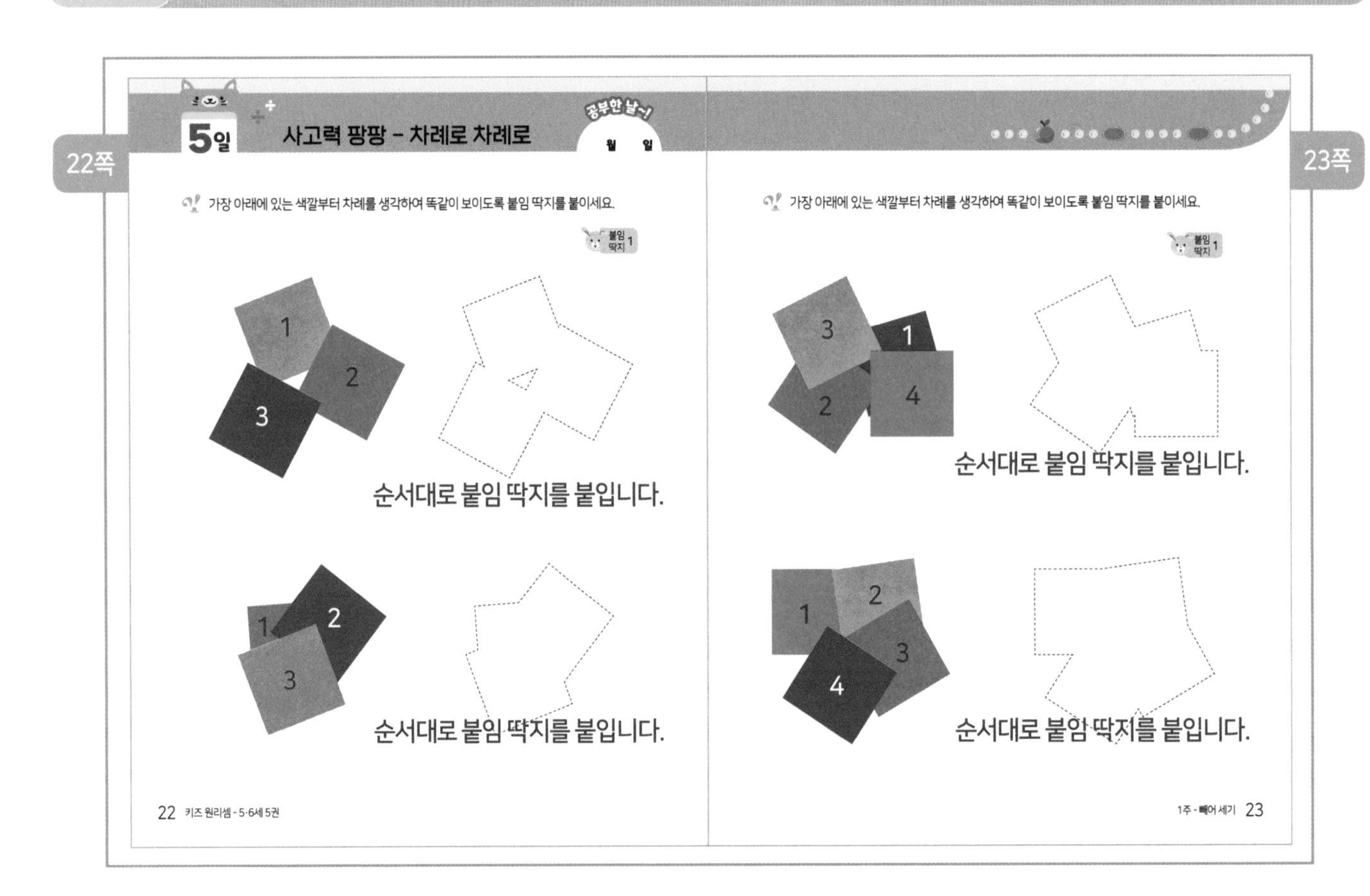
22쪽
5일
사고력 팡팡 - 차례로 차례로
공부한 날~!
월 일
가장 아래에 있는 색깔부터 차례를 생각하여 똑같이 보이도록 붙임 딱지를 붙이세요.
순서대로 붙임 딱지를 붙입니다.
순서대로 붙임 딱지를 붙입니다.
22 키즈 원리셈 - 5·6세 5권
23쪽
가장 아래에 있는 색깔부터 차례를 생각하여 똑같이 보이도록 붙임 딱지를 붙이세요.
순서대로 붙임 딱지를 붙입니다.
순서대로 붙임 딱지를 붙입니다.
1주 - 빼어 세기 23

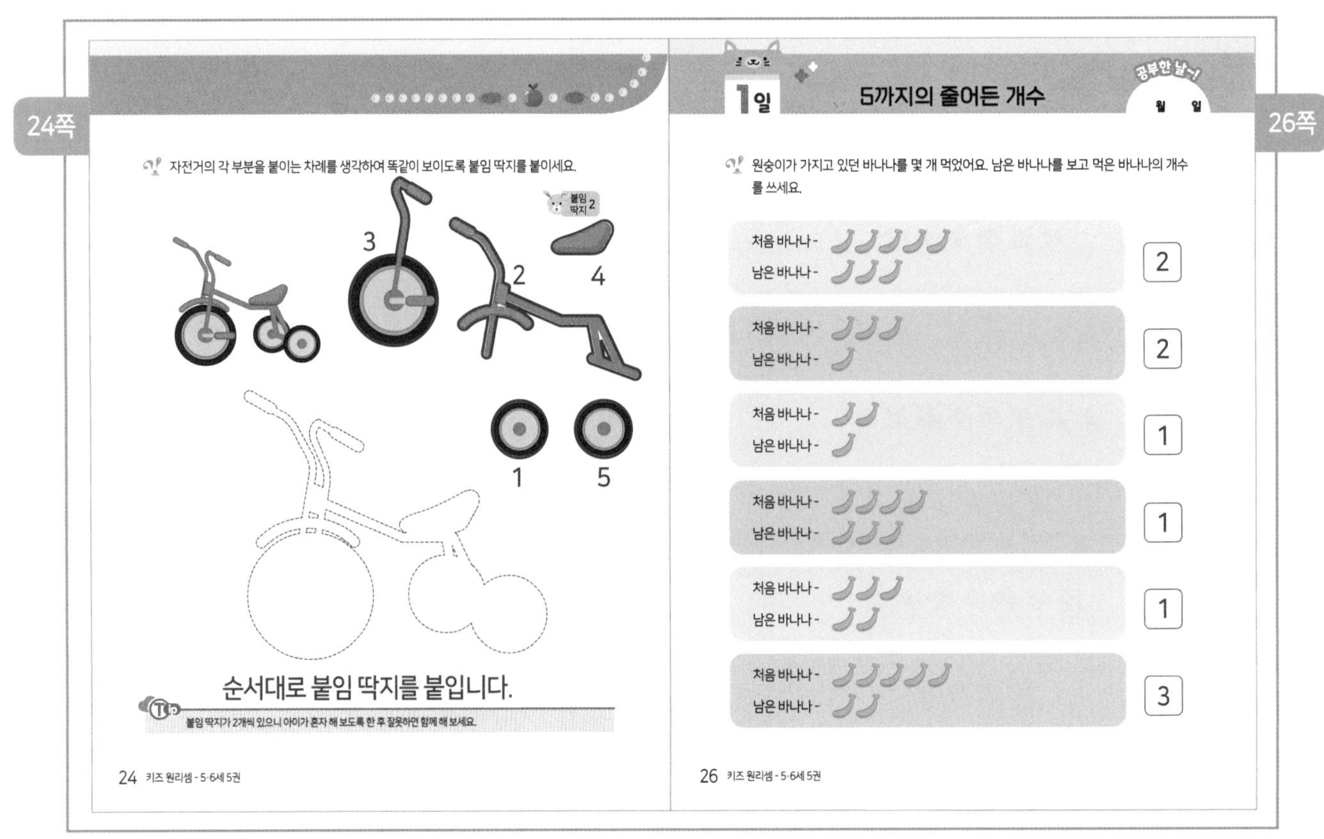
24쪽
자전거의 각 부분을 붙이는 차례를 생각하여 똑같이 보이도록 붙임 딱지를 붙이세요.
순서대로 붙임 딱지를 붙입니다.
붙임 딱지가 2개씩 있으니 아이가 혼자 해 보도록 한 후 잘못하면 함께 해 보세요.
24 키즈 원리셈 - 5·6세 5권
26쪽
1일
5까지의 줄어든 개수
공부한 날~!
월 일
원숭이가 가지고 있던 바나나를 몇 개 먹었어요. 남은 바나나를 보고 먹은 바나나의 개수를 쓰세요.
처음 바나나 -
남은 바나나 -
2
2
1
1
1
3
26 키즈 원리셈 - 5·6세 5권

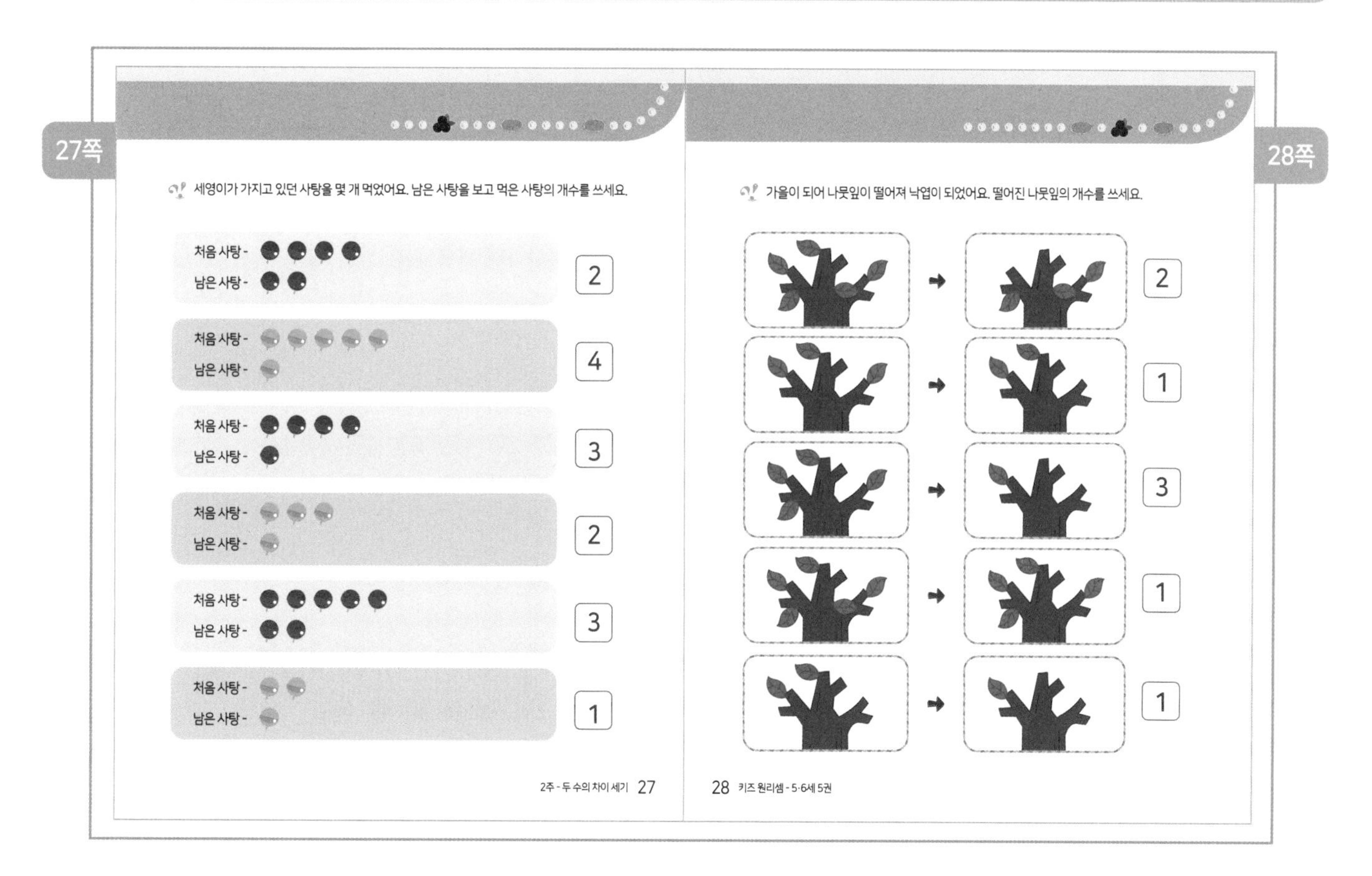

27쪽

세영이가 가지고 있던 사탕을 몇 개 먹었어요. 남은 사탕을 보고 먹은 사탕의 개수를 쓰세요.

처음 사탕 -
남은 사탕 -
2

처음 사탕 -
남은 사탕 -
4

처음 사탕 -
남은 사탕 -
3

처음 사탕 -
남은 사탕 -
2

처음 사탕 -
남은 사탕 -
3

처음 사탕 -
남은 사탕 -
1

2주 - 두 수의 차이 세기 27

28쪽

가을이 되어 나뭇잎이 떨어져 낙엽이 되었어요. 떨어진 나뭇잎의 개수를 쓰세요.

2

1

3

1

1

28 키즈 원리셈 - 5·6세 5권

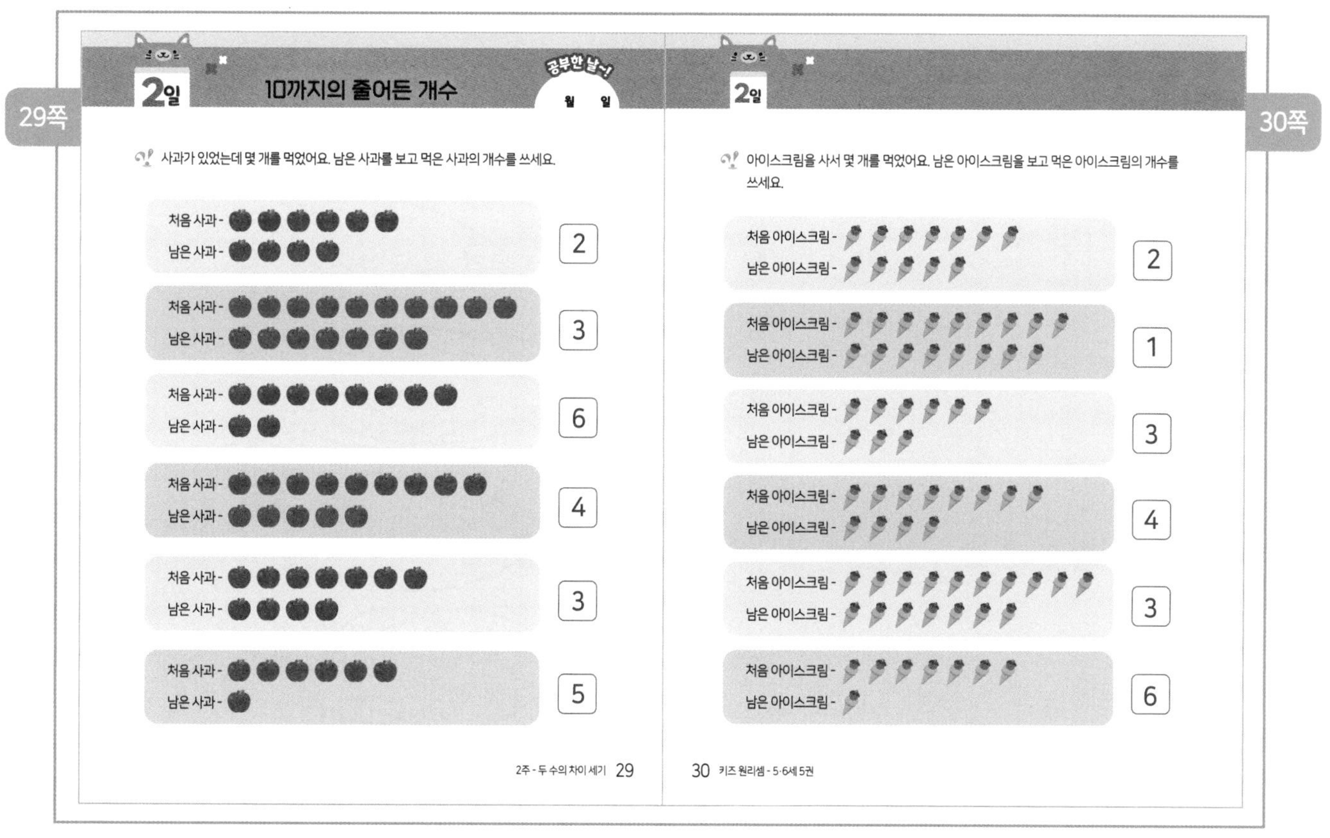

29쪽

2일 10까지의 줄어든 개수

공부한 날~! 월 일

사과가 있었는데 몇 개를 먹었어요. 남은 사과를 보고 먹은 사과의 개수를 쓰세요.

처음 사과 -
남은 사과 -
2

처음 사과 -
남은 사과 -
3

처음 사과 -
남은 사과 -
6

처음 사과 -
남은 사과 -
4

처음 사과 -
남은 사과 -
3

처음 사과 -
남은 사과 -
5

2주 - 두 수의 차이 세기 29

30쪽

2일

아이스크림을 사서 몇 개를 먹었어요. 남은 아이스크림을 보고 먹은 아이스크림의 개수를 쓰세요.

처음 아이스크림 -
남은 아이스크림 -
2

처음 아이스크림 -
남은 아이스크림 -
1

처음 아이스크림 -
남은 아이스크림 -
3

처음 아이스크림 -
남은 아이스크림 -
4

처음 아이스크림 -
남은 아이스크림 -
3

처음 아이스크림 -
남은 아이스크림 -
6

30 키즈 원리셈 - 5·6세 5권

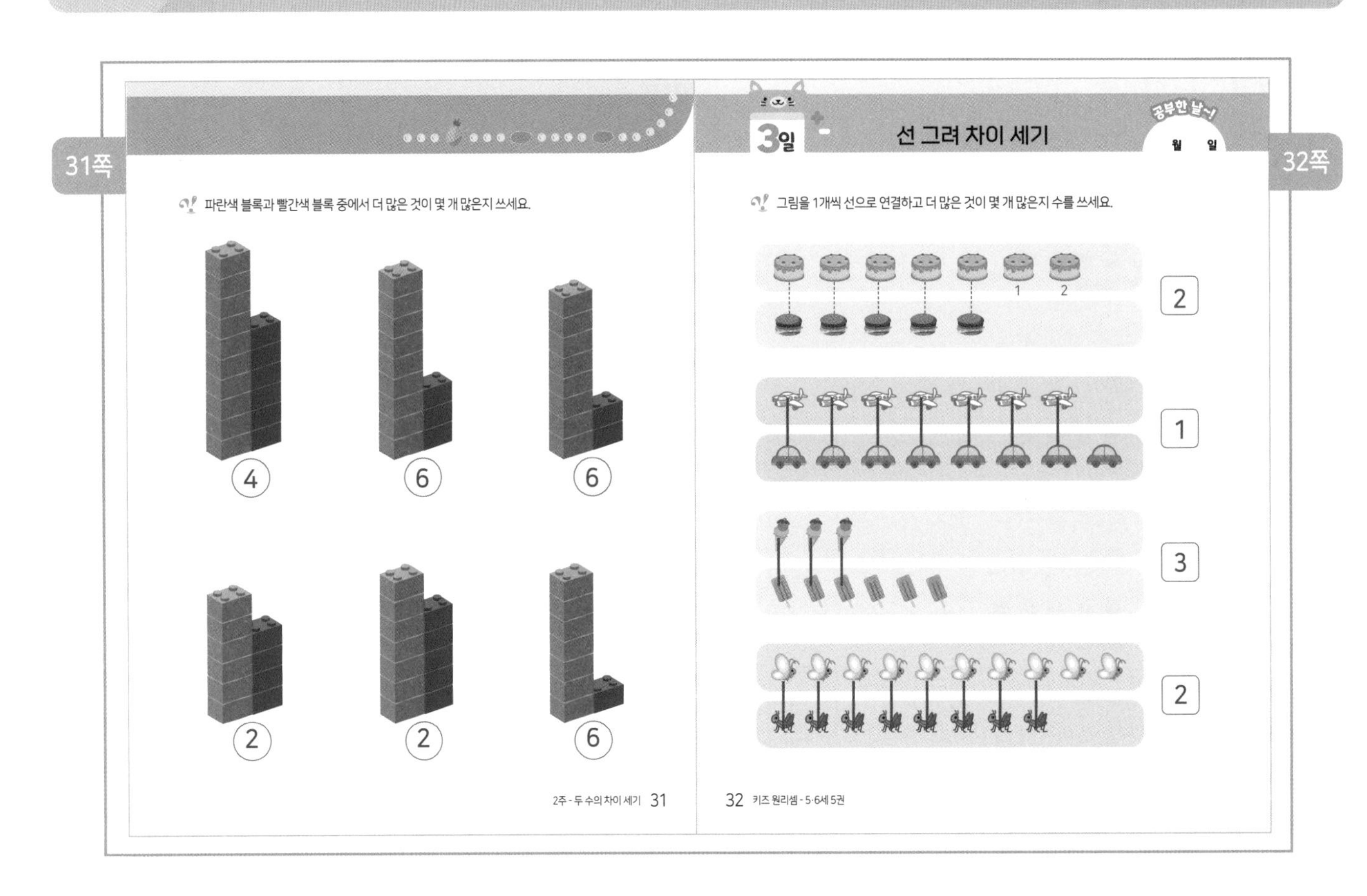
31쪽
파란색 블록과 빨간색 블록 중에서 더 많은 것이 몇 개 많은지 쓰세요.
4
6
6
2
2
6
2주 - 두 수의 차이 세기 31
3일
선 그려 차이 세기
공부한 날~!
월 일
32쪽
그림을 1개씩 선으로 연결하고 더 많은 것이 몇 개 많은지 수를 쓰세요.
2
1
3
2
32 키즈 원리셈 - 5·6세 5권

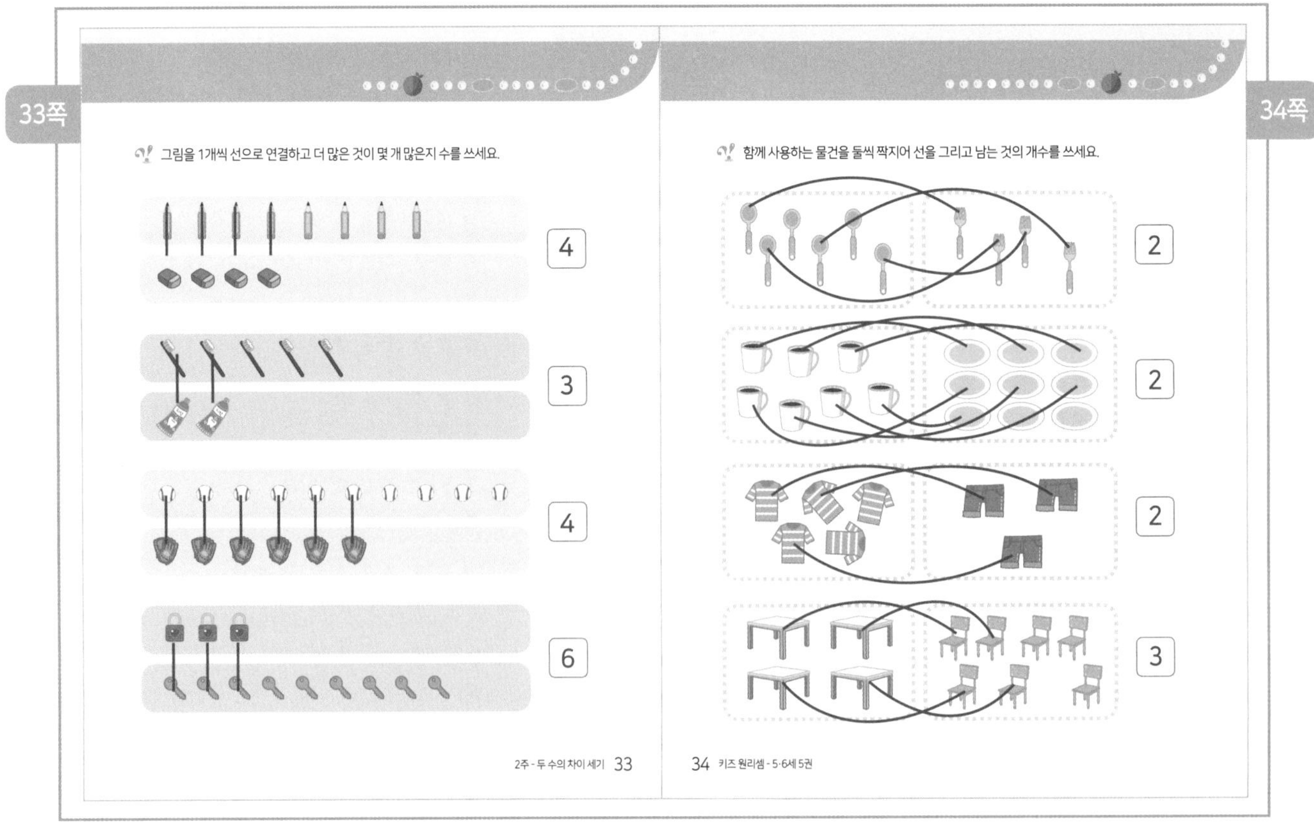
33쪽
그림을 1개씩 선으로 연결하고 더 많은 것이 몇 개 많은지 수를 쓰세요.
4
3
4
6
2주 - 두 수의 차이 세기 33
34쪽
함께 사용하는 물건을 둘씩 짝지어 선을 그리고 남는 것의 개수를 쓰세요.
2
2
2
3
34 키즈 원리셈 - 5·6세 5권

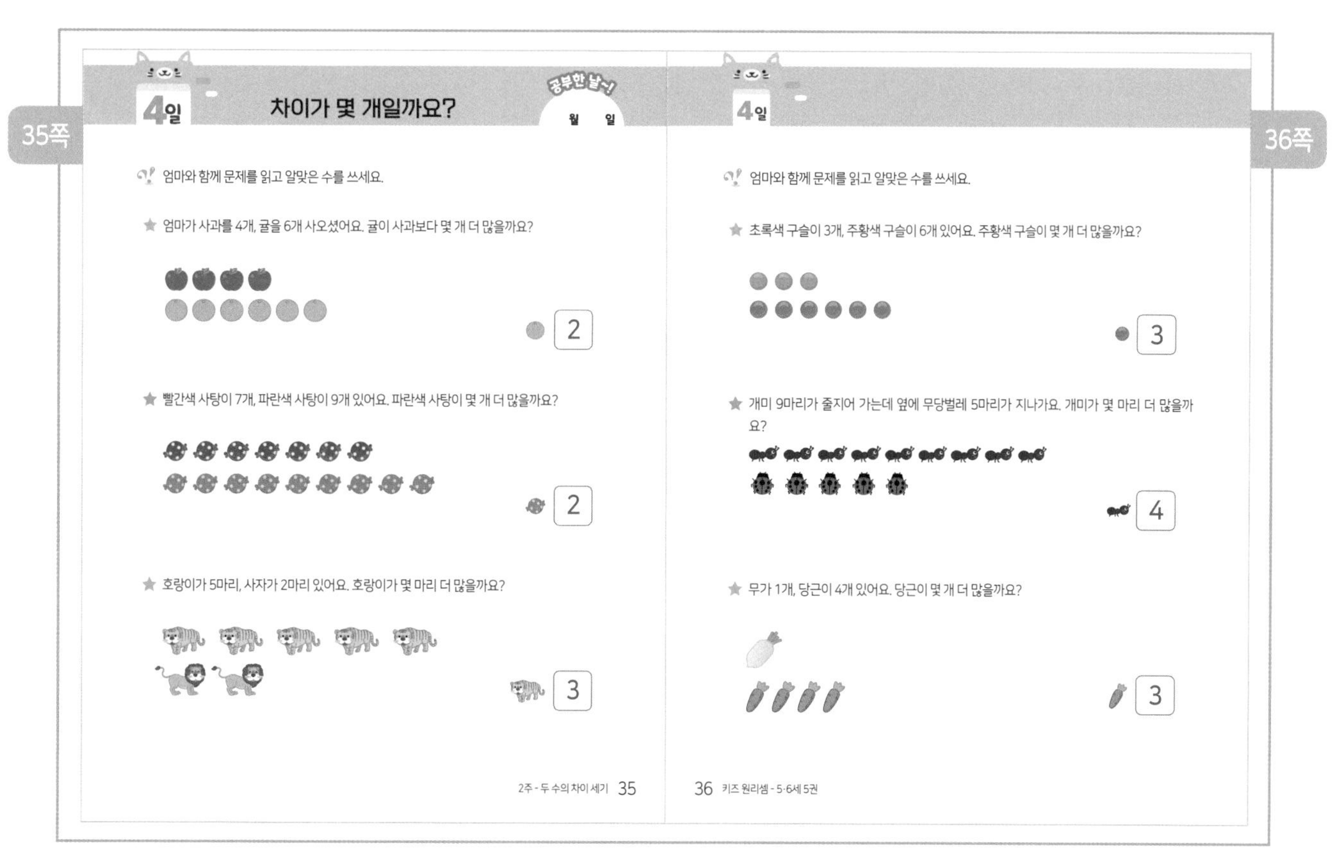

35쪽

4일

차이가 몇 개일까요?

공부한 날~! 월 일

엄마와 함께 문제를 읽고 알맞은 수를 쓰세요.

★ 엄마가 사과를 4개, 귤을 6개 사오셨어요. 귤이 사과보다 몇 개 더 많을까요?

2

★ 빨간색 사탕이 7개, 파란색 사탕이 9개 있어요. 파란색 사탕이 몇 개 더 많을까요?

2

★ 호랑이가 5마리, 사자가 2마리 있어요. 호랑이가 몇 마리 더 많을까요?

3

2주 - 두 수의 차이 세기 35

36쪽

4일

엄마와 함께 문제를 읽고 알맞은 수를 쓰세요.

★ 초록색 구슬이 3개, 주황색 구슬이 6개 있어요. 주황색 구슬이 몇 개 더 많을까요?

3

★ 개미 9마리가 줄지어 가는데 옆에 무당벌레 5마리가 지나가요. 개미가 몇 마리 더 많을까요?

4

★ 무가 1개, 당근이 4개 있어요. 당근이 몇 개 더 많을까요?

3

36 키즈 원리셈 - 5·6세 5권

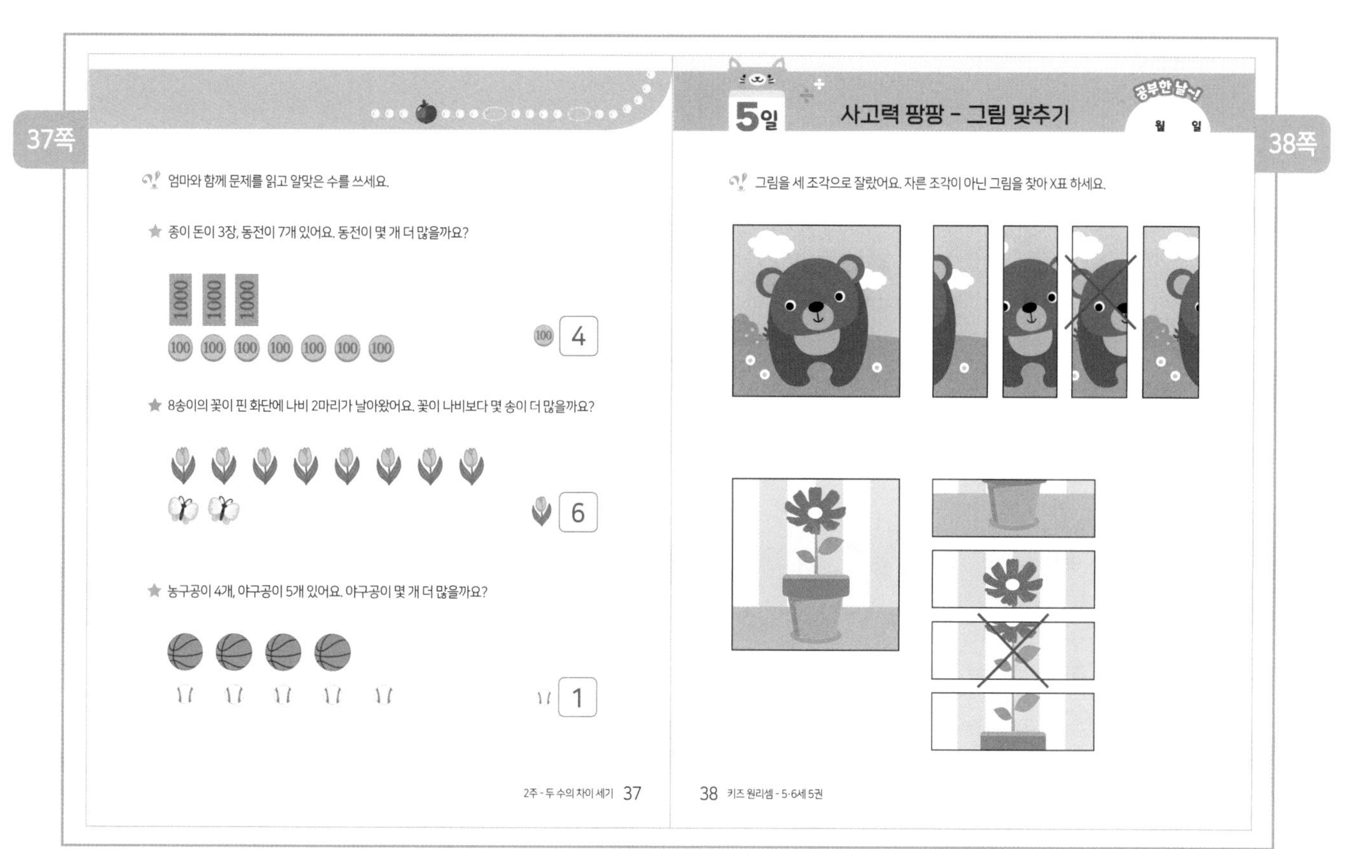

37쪽

엄마와 함께 문제를 읽고 알맞은 수를 쓰세요.

★ 종이 돈이 3장, 동전이 7개 있어요. 동전이 몇 개 더 많을까요?

1000 1000 1000

100 100 100 100 100 100 100

100 4

★ 8송이의 꽃이 핀 화단에 나비 2마리가 날아왔어요. 꽃이 나비보다 몇 송이 더 많을까요?

6

★ 농구공이 4개, 야구공이 5개 있어요. 야구공이 몇 개 더 많을까요?

1

2주 - 두 수의 차이 세기 37

38쪽

5일

사고력 팡팡 - 그림 맞추기

공부한 날~! 월 일

그림을 세 조각으로 잘랐어요. 자른 조각이 아닌 그림을 찾아 X표 하세요.

38 키즈 원리셈 - 5·6세 5권

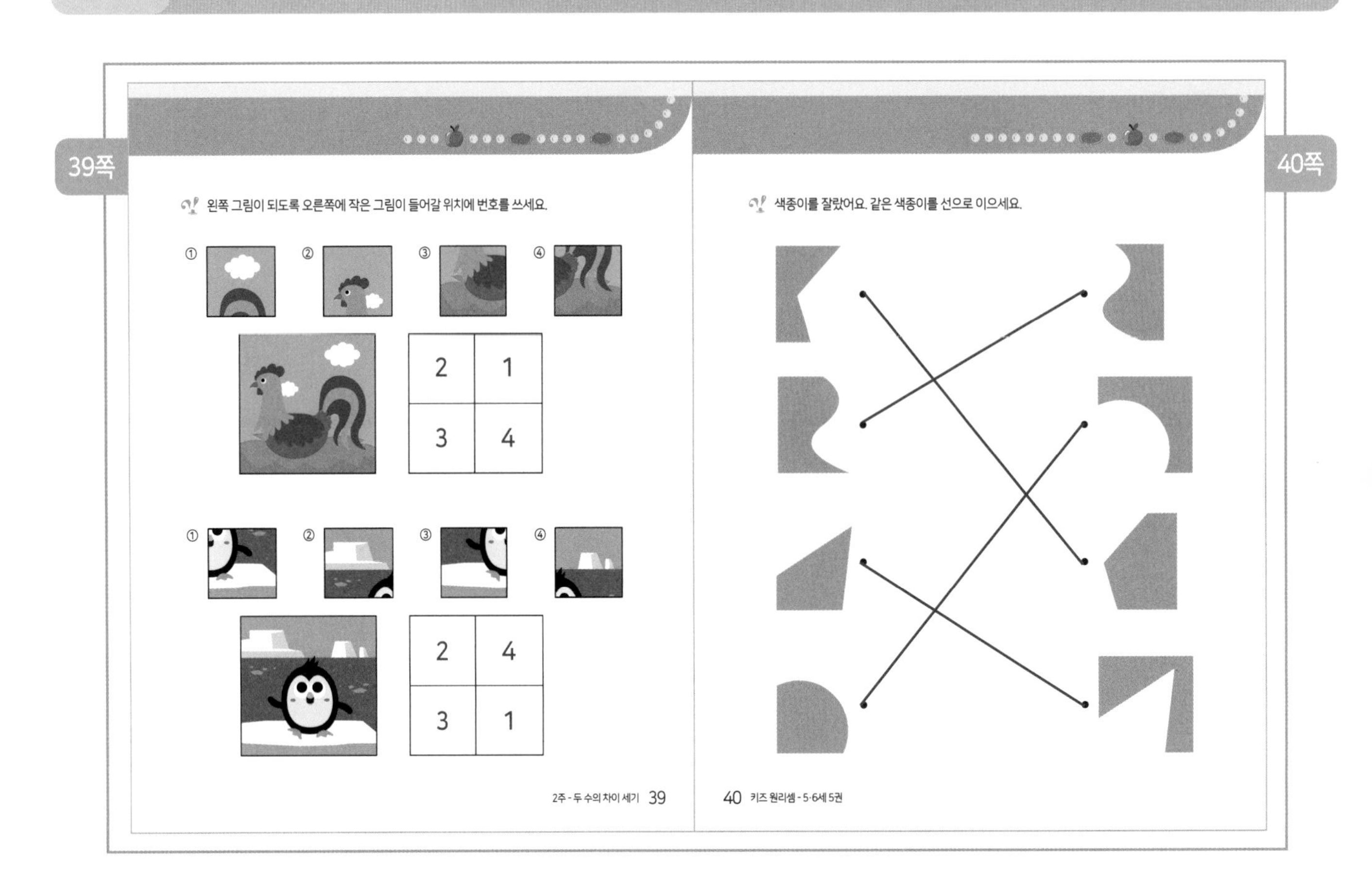
39쪽
40쪽
왼쪽 그림이 되도록 오른쪽에 작은 그림이 들어갈 위치에 번호를 쓰세요.
①
②
③
④
2
1
3
4
①
②
③
④
2
4
3
1
2주 - 두 수의 차이 세기 39
색종이를 잘랐어요. 같은 색종이를 선으로 이으세요.
40 키즈 원리셈 - 5·6세 5권

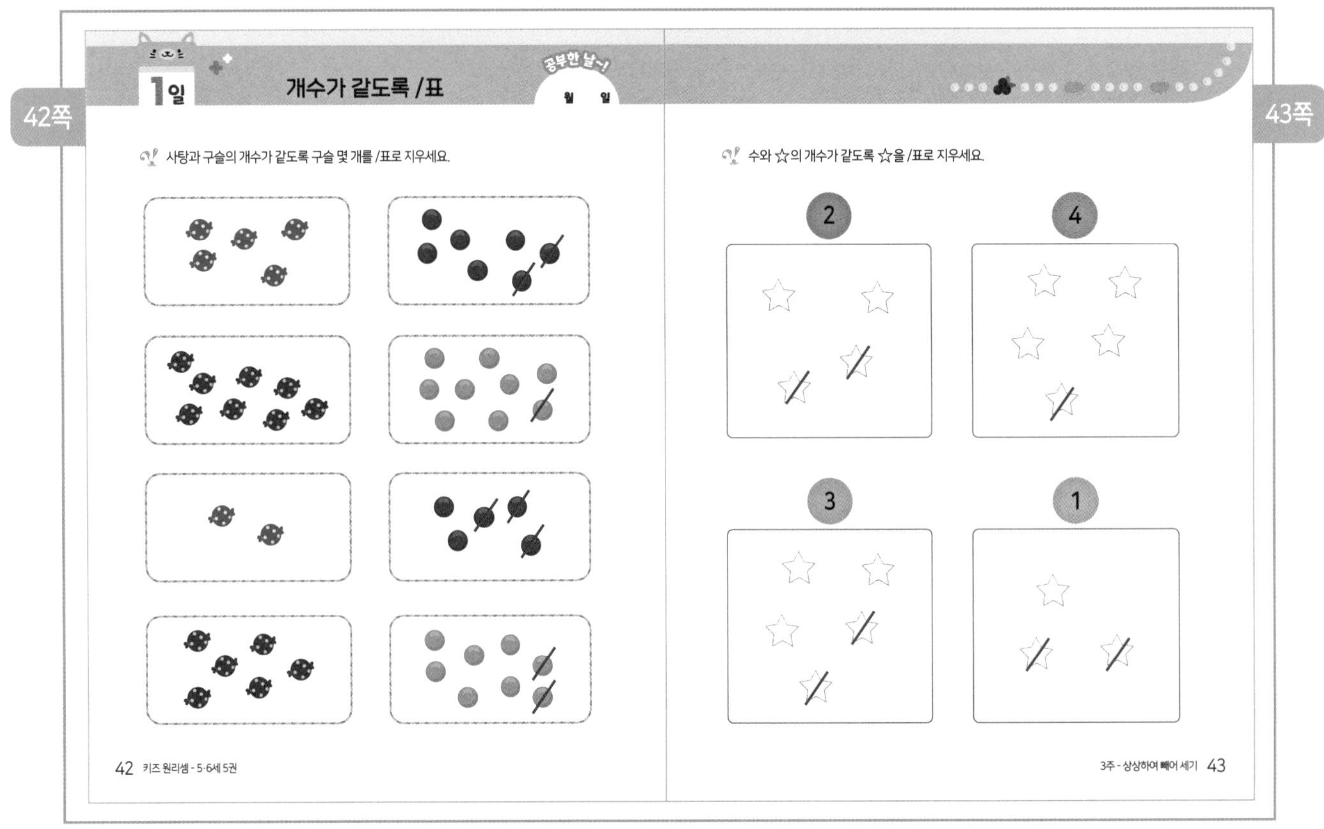
42쪽
43쪽
1일
개수가 같도록 /표
공부한 날~!
월 일
사탕과 구슬의 개수가 같도록 구슬 몇 개를 /표로 지우세요.
수와 ☆의 개수가 같도록 ☆을 /표로 지우세요.
2
4
3
1
42 키즈 원리셈 - 5·6세 5권
3주 - 상상하여 빼어 세기 43

44쪽

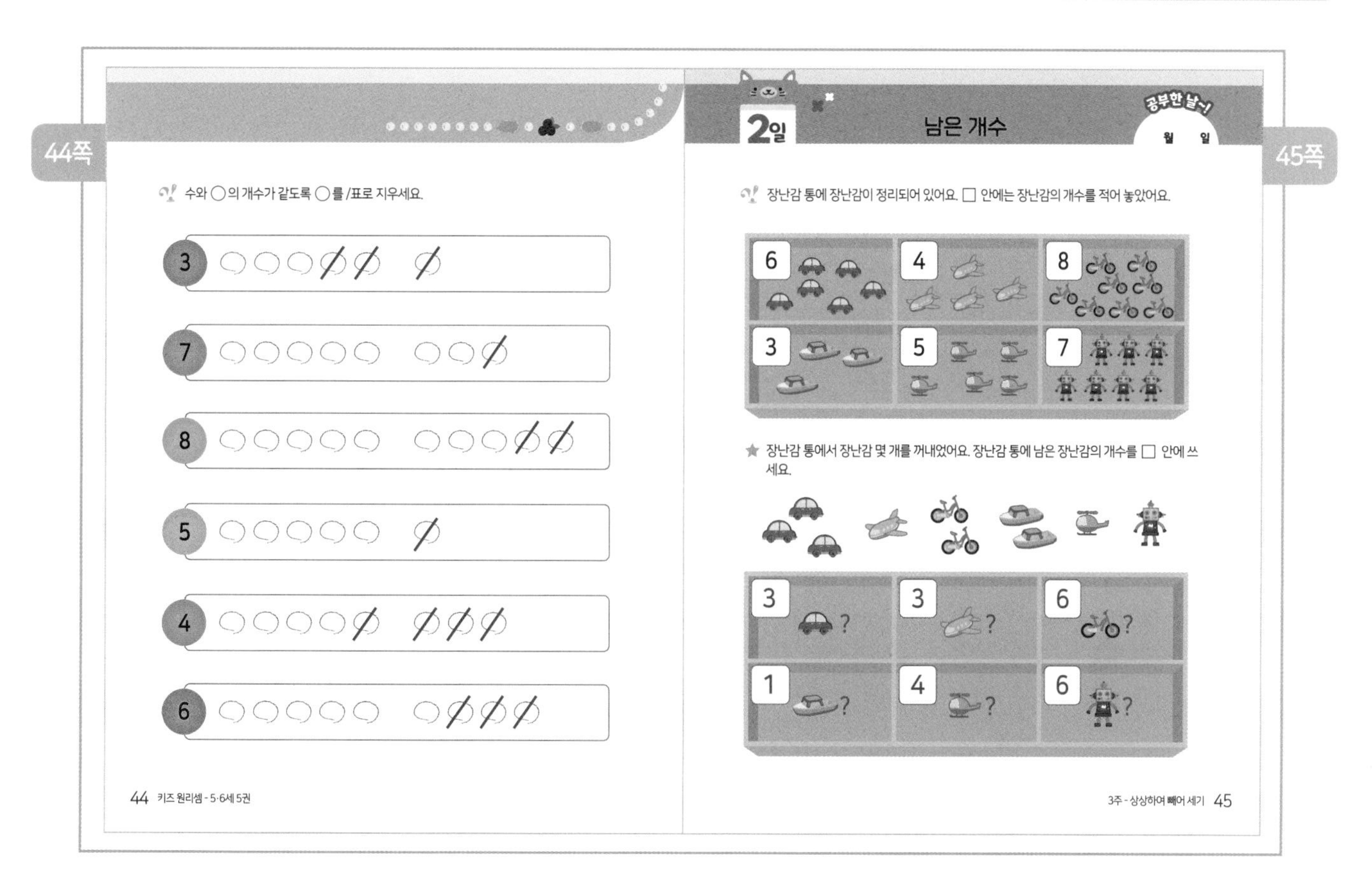

45쪽

46쪽

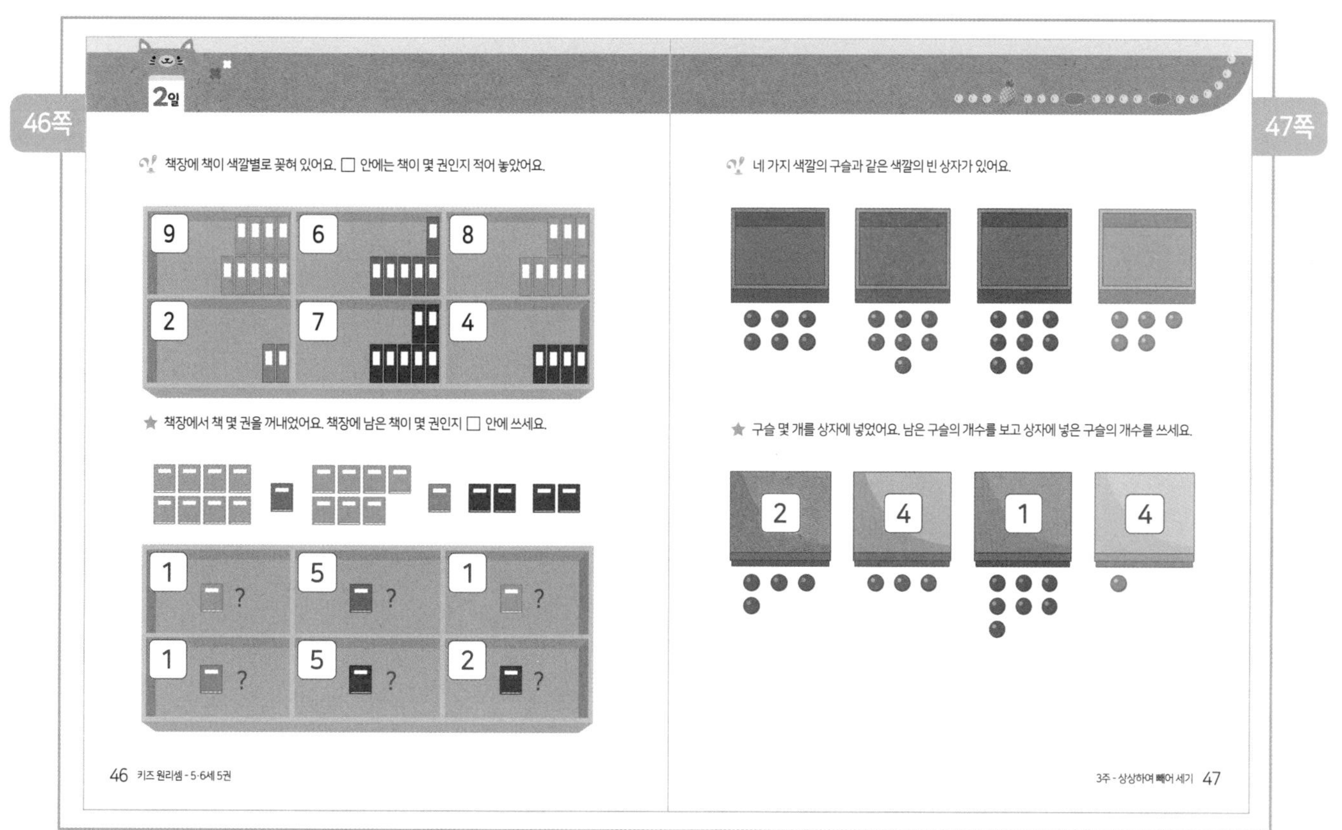

47쪽

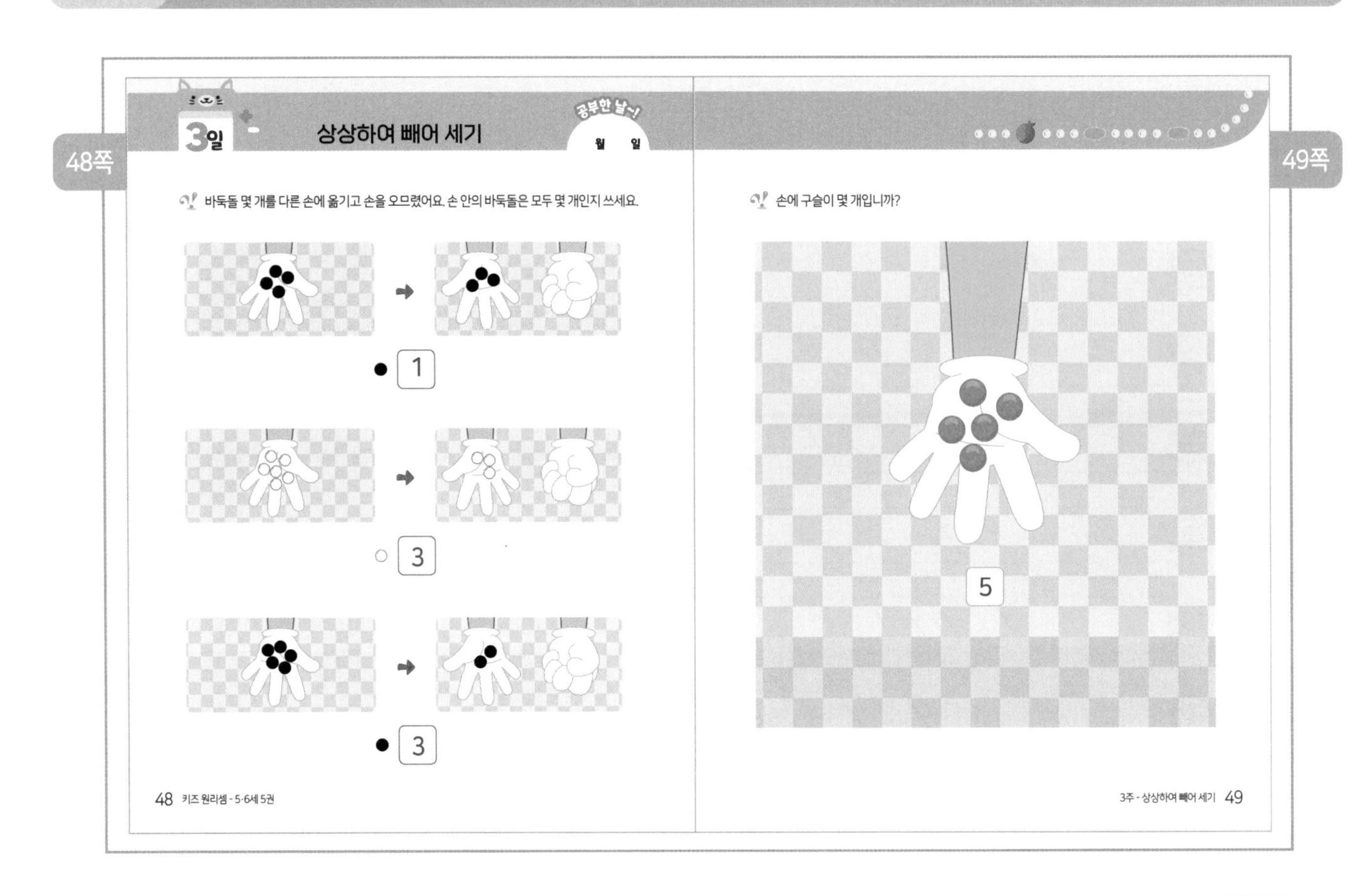
48쪽

3일 상상하여 빼어 세기

공부한 날~! 월 일

바둑돌 몇 개를 다른 손에 옮기고 손을 오므렸어요. 손 안의 바둑돌은 모두 몇 개인지 쓰세요.

● 1

○ 3

● 3

48 키즈 원리셈 - 5·6세 5권

49쪽

손에 구슬이 몇 개입니까?

5

3주 - 상상하여 빼어 세기 49

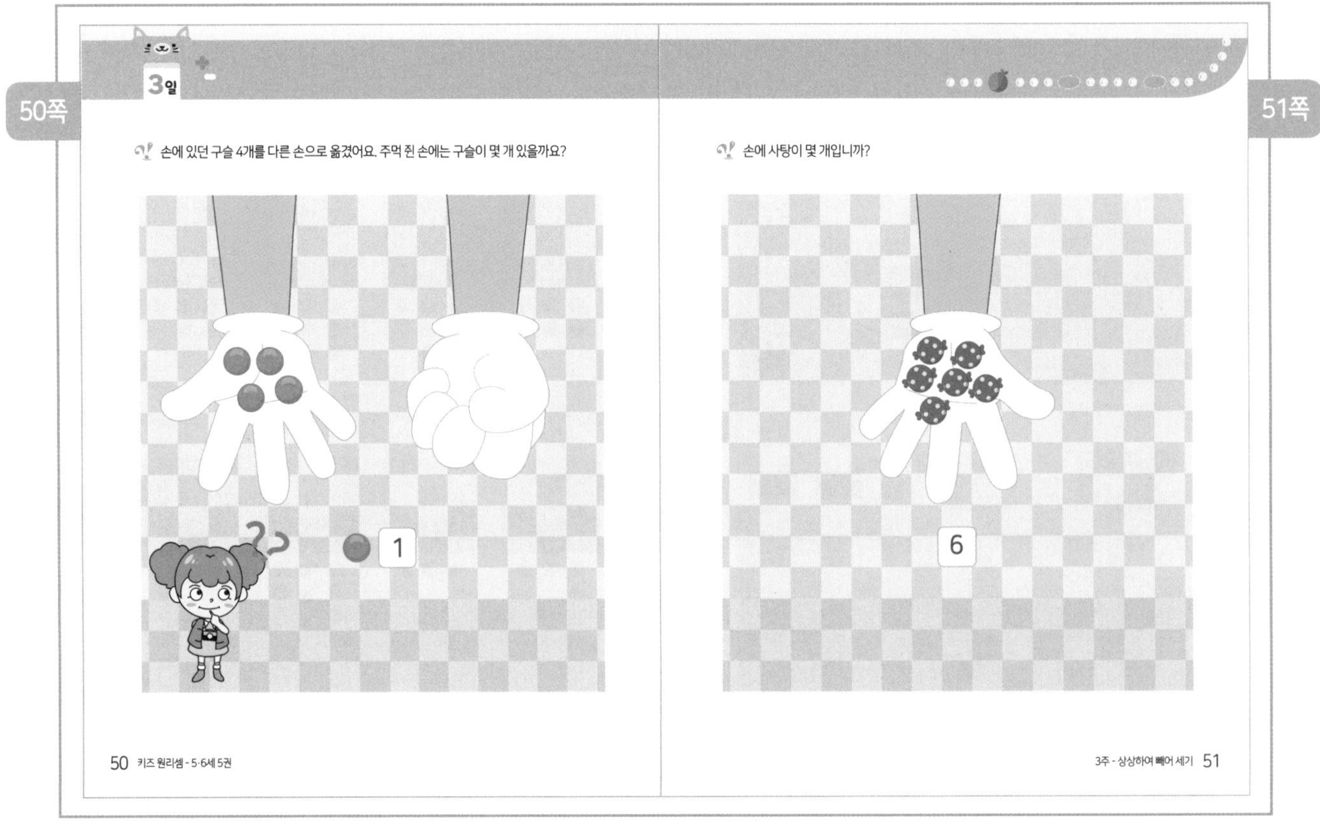
50쪽

3일

손에 있던 구슬 4개를 다른 손으로 옮겼어요. 주먹 쥔 손에는 구슬이 몇 개 있을까요?

1

50 키즈 원리셈 - 5·6세 5권

51쪽

손에 사탕이 몇 개입니까?

6

3주 - 상상하여 빼어 세기 51

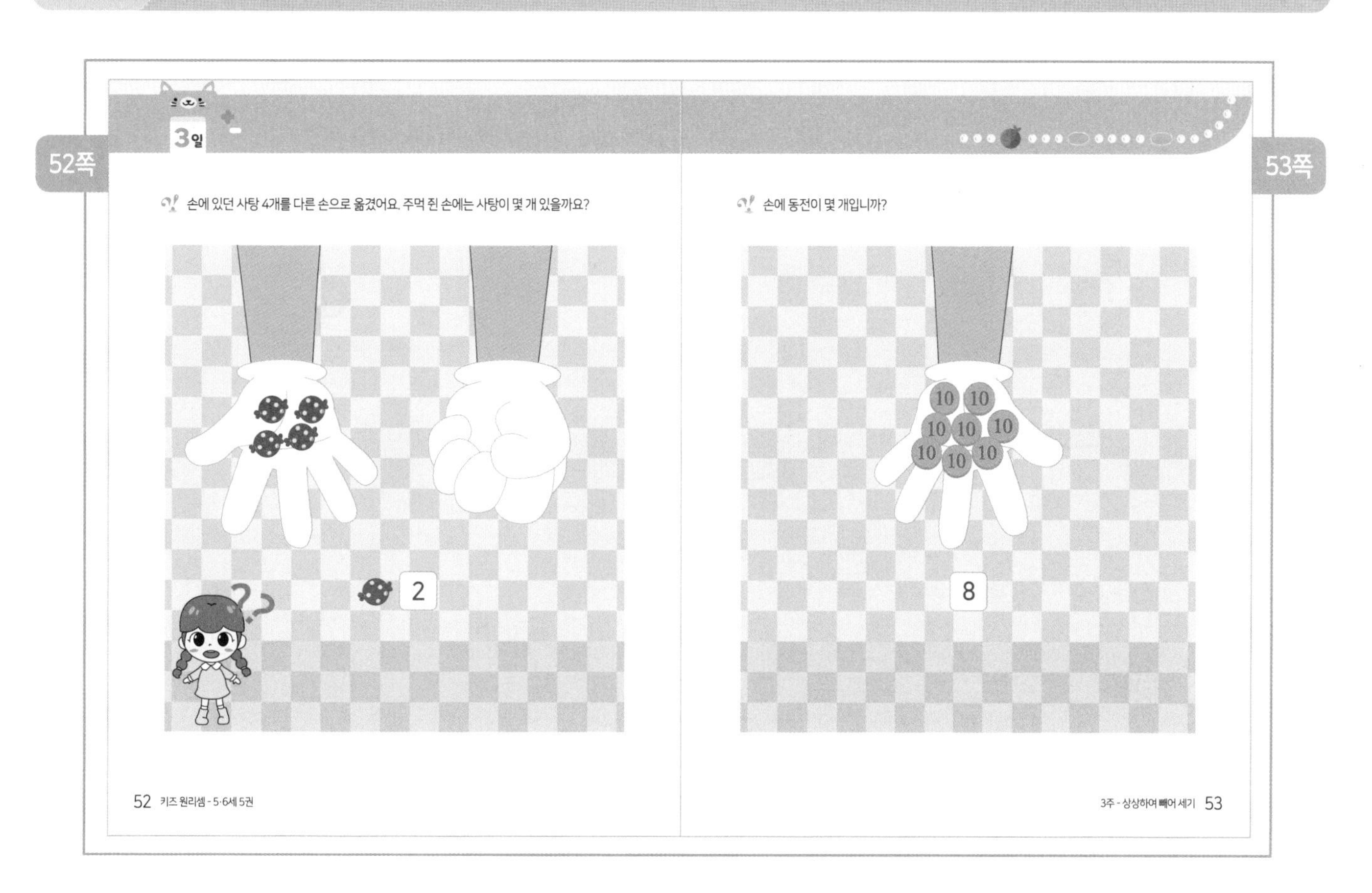
52쪽
53쪽
3일
손에 있던 사탕 4개를 다른 손으로 옮겼어요. 주먹 쥔 손에는 사탕이 몇 개 있을까요?
2
손에 동전이 몇 개입니까?
10
8
52 키즈 원리셈 - 5·6세 5권
3주 - 상상하여 빼어 세기 53

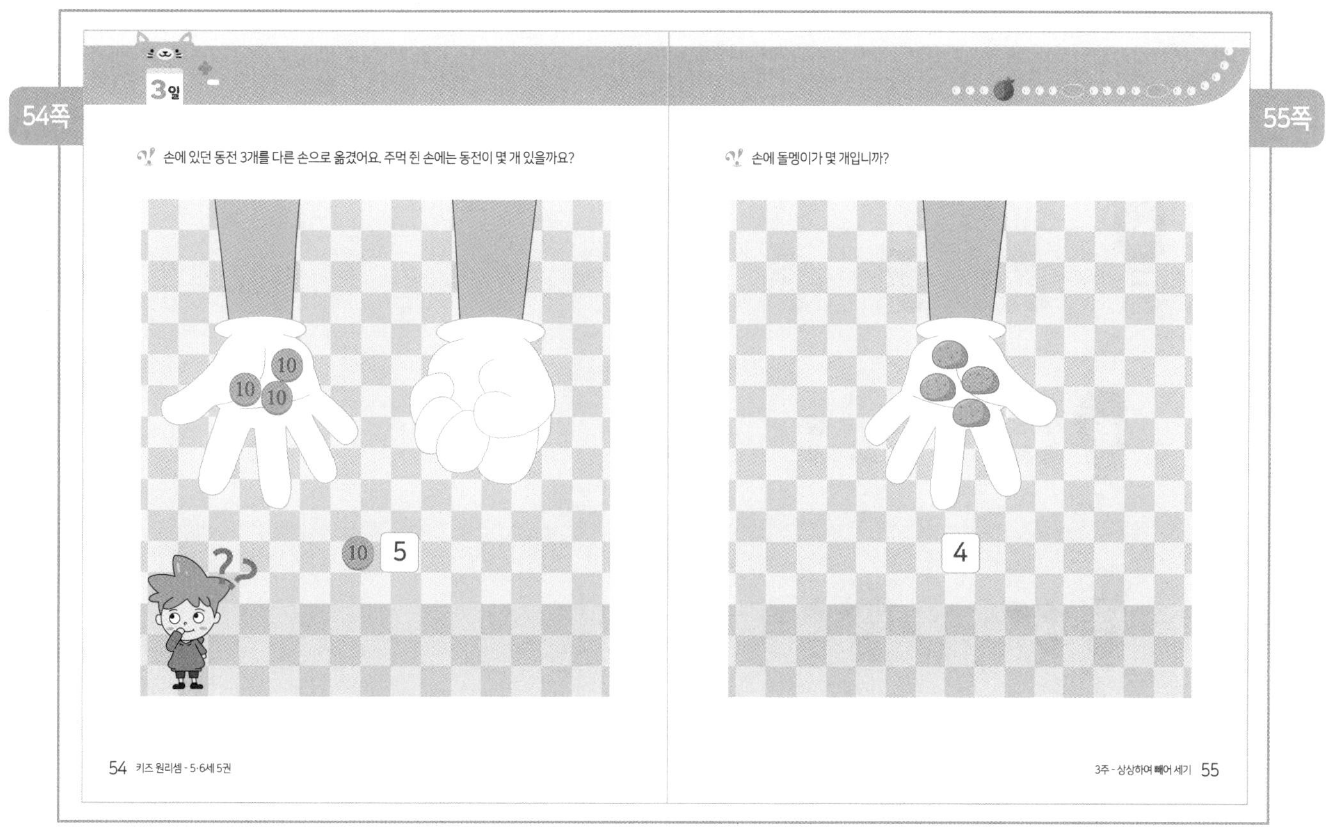
54쪽
55쪽
3일
손에 있던 동전 3개를 다른 손으로 옮겼어요. 주먹 쥔 손에는 동전이 몇 개 있을까요?
10
5
손에 돌멩이가 몇 개입니까?
4
54 키즈 원리셈 - 5·6세 5권
3주 - 상상하여 빼어 세기 55

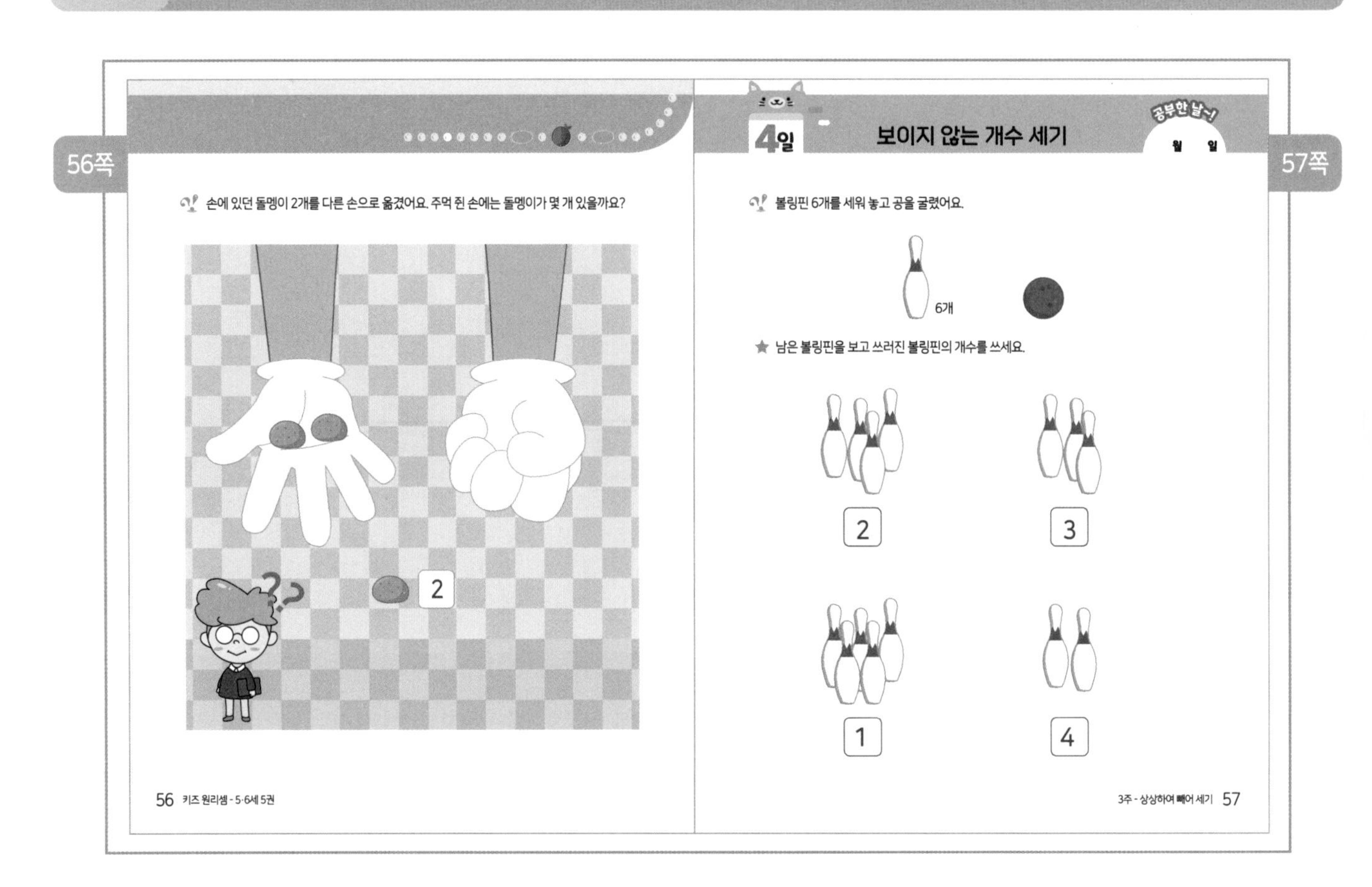
56쪽
57쪽
4일
보이지 않는 개수 세기
공부한 날~!
월 일
손에 있던 돌멩이 2개를 다른 손으로 옮겼어요. 주먹 쥔 손에는 돌멩이가 몇 개 있을까요?
2
볼링핀 6개를 세워 놓고 공을 굴렸어요.
6개
남은 볼링핀을 보고 쓰러진 볼링핀의 개수를 쓰세요.
2
3
1
4
56 키즈 원리셈 - 5·6세 5권
3주 - 상상하여 빼어 세기 57

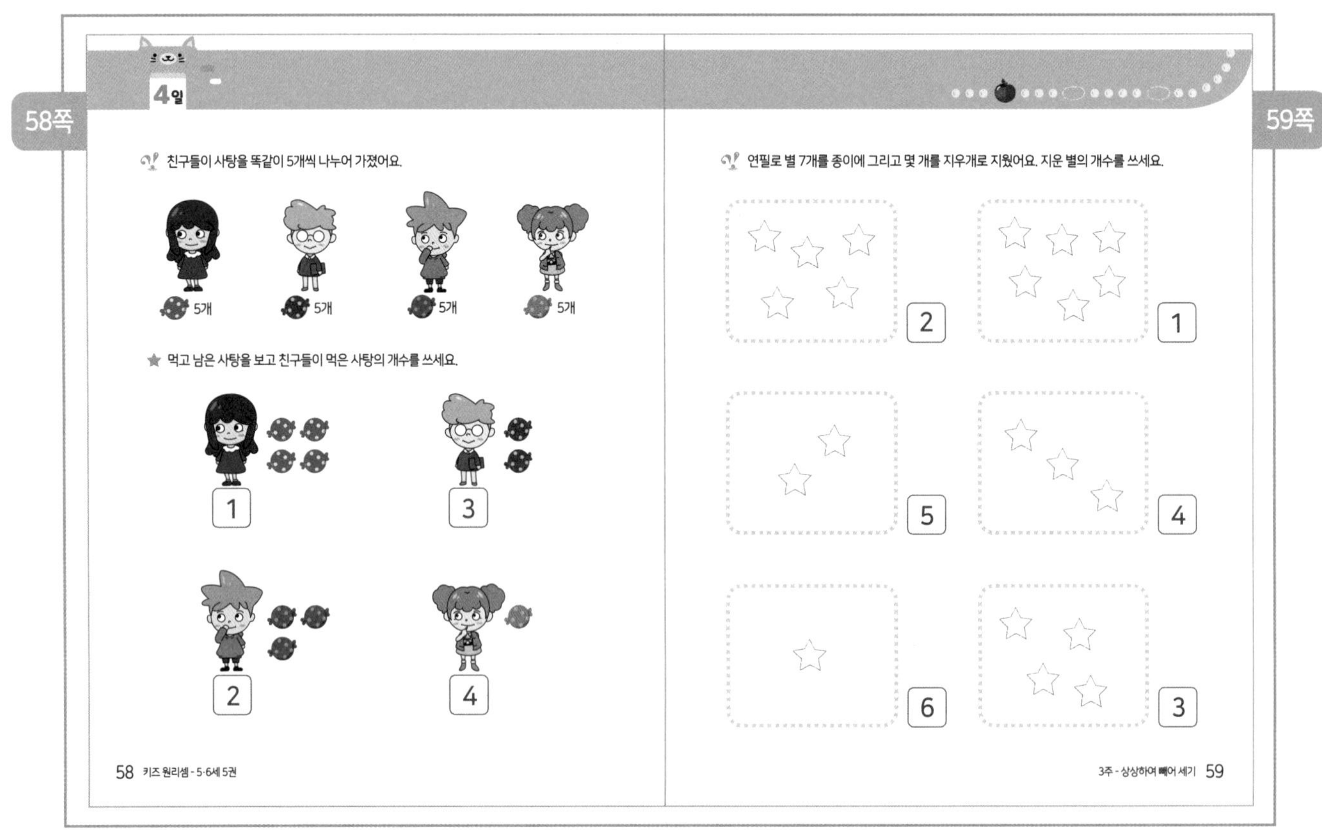
58쪽
59쪽
4일
친구들이 사탕을 똑같이 5개씩 나누어 가졌어요.
5개
5개
5개
5개
먹고 남은 사탕을 보고 친구들이 먹은 사탕의 개수를 쓰세요.
1
3
2
4
연필로 별 7개를 종이에 그리고 몇 개를 지우개로 지웠어요. 지운 별의 개수를 쓰세요.
2
1
5
4
6
3
58 키즈 원리셈 - 5·6세 5권
3주 - 상상하여 빼어 세기 59

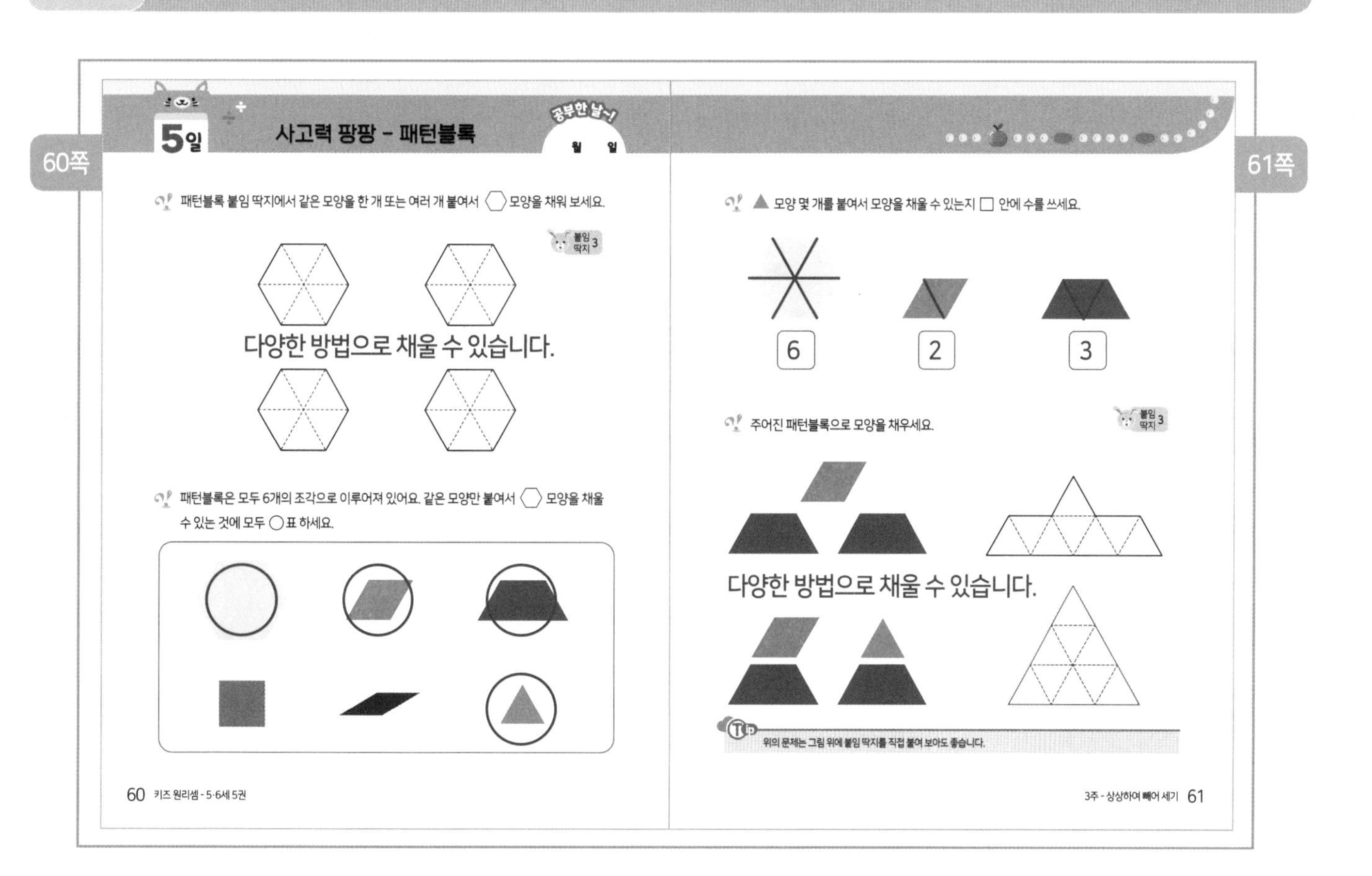
60쪽

5일 사고력 팡팡 - 패턴블록

공부한 날~! 월 일

패턴블록 붙임 딱지에서 같은 모양을 한 개 또는 여러 개 붙여서 ⬡ 모양을 채워 보세요.

붙임 딱지 3

다양한 방법으로 채울 수 있습니다.

패턴블록은 모두 6개의 조각으로 이루어져 있어요. 같은 모양만 붙여서 ⬡ 모양을 채울 수 있는 것에 모두 ○표 하세요.

60 키즈 원리셈 - 5·6세 5권

61쪽

▲ 모양 몇 개를 붙여서 모양을 채울 수 있는지 □ 안에 수를 쓰세요.

6 2 3

주어진 패턴블록으로 모양을 채우세요.

붙임 딱지 3

다양한 방법으로 채울 수 있습니다.

Tip 위의 문제는 그림 위에 붙임 딱지를 직접 붙여 보아도 좋습니다.

3주 - 상상하여 빼어 세기 61

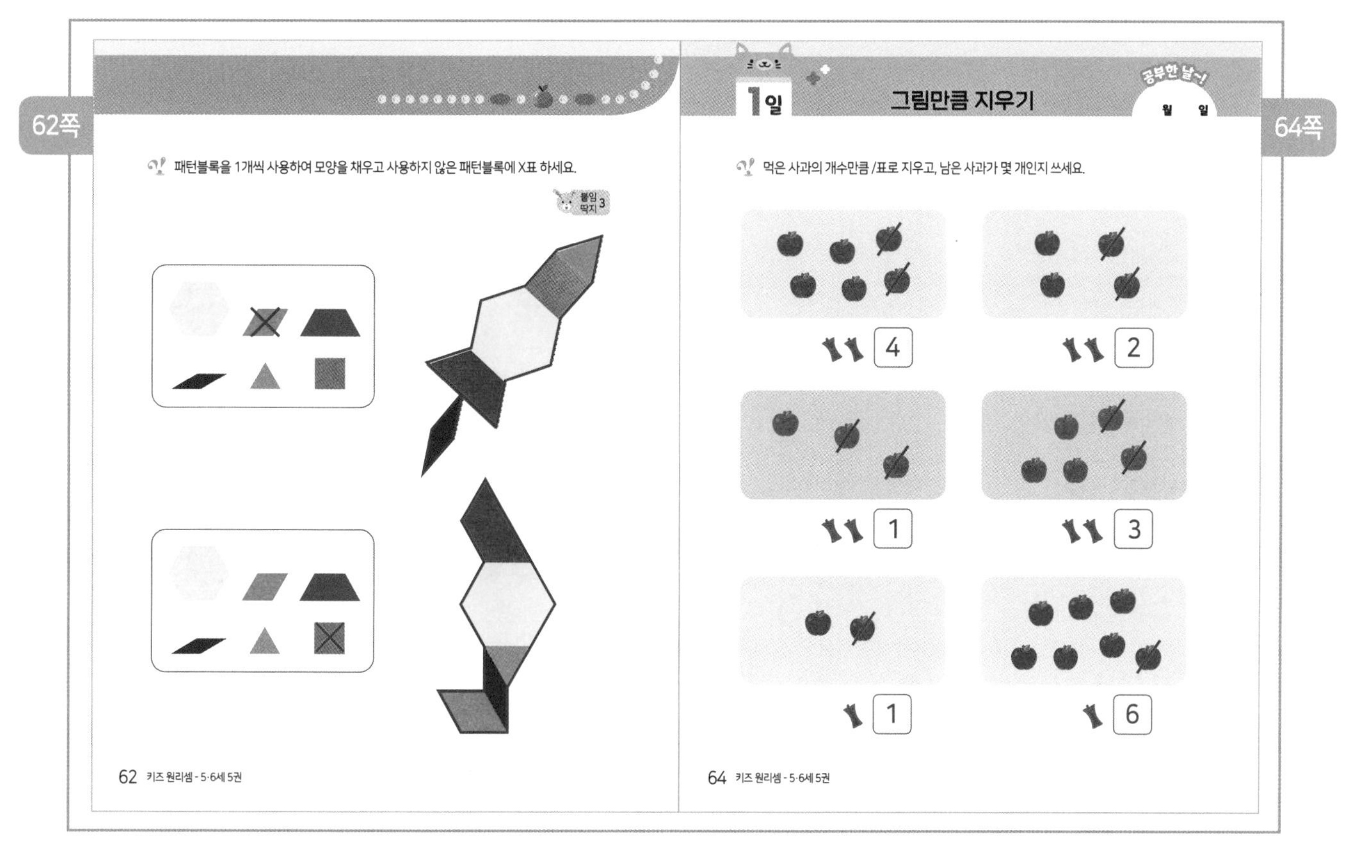
62쪽

패턴블록을 1개씩 사용하여 모양을 채우고 사용하지 않은 패턴블록에 X표 하세요.

붙임 딱지 3

62 키즈 원리셈 - 5·6세 5권

64쪽

1일 그림만큼 지우기

공부한 날~! 월 일

먹은 사과의 개수만큼 /표로 지우고, 남은 사과가 몇 개인지 쓰세요.

4 2

1 3

1 6

64 키즈 원리셈 - 5·6세 5권

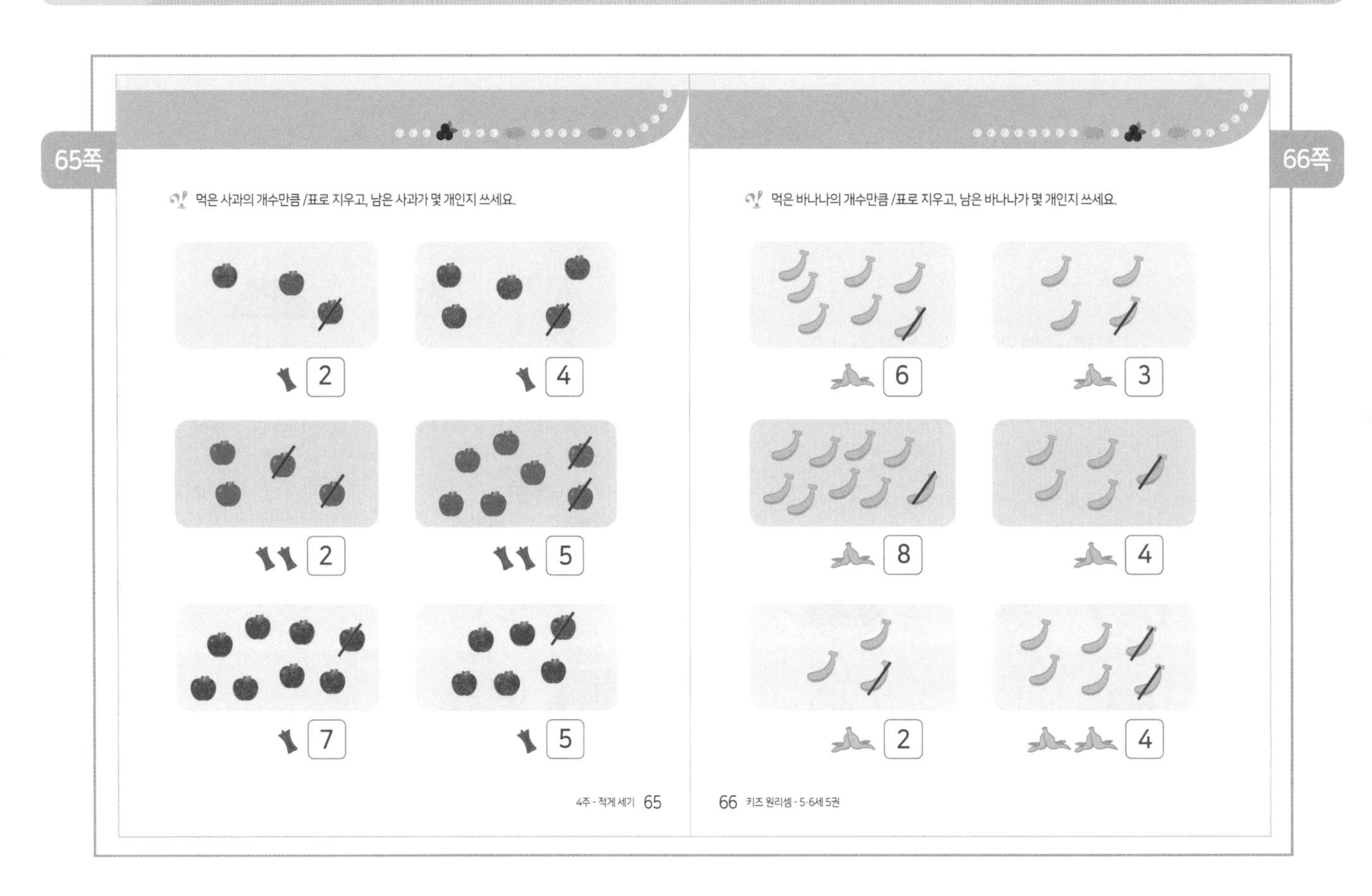
65쪽
먹은 사과의 개수만큼 /표로 지우고, 남은 사과가 몇 개인지 쓰세요.
2
4
2
5
7
5
4주 - 적게 세기 65
66쪽
먹은 바나나의 개수만큼 /표로 지우고, 남은 바나나가 몇 개인지 쓰세요.
6
3
8
4
2
4
66 키즈 원리셈 - 5·6세 5권

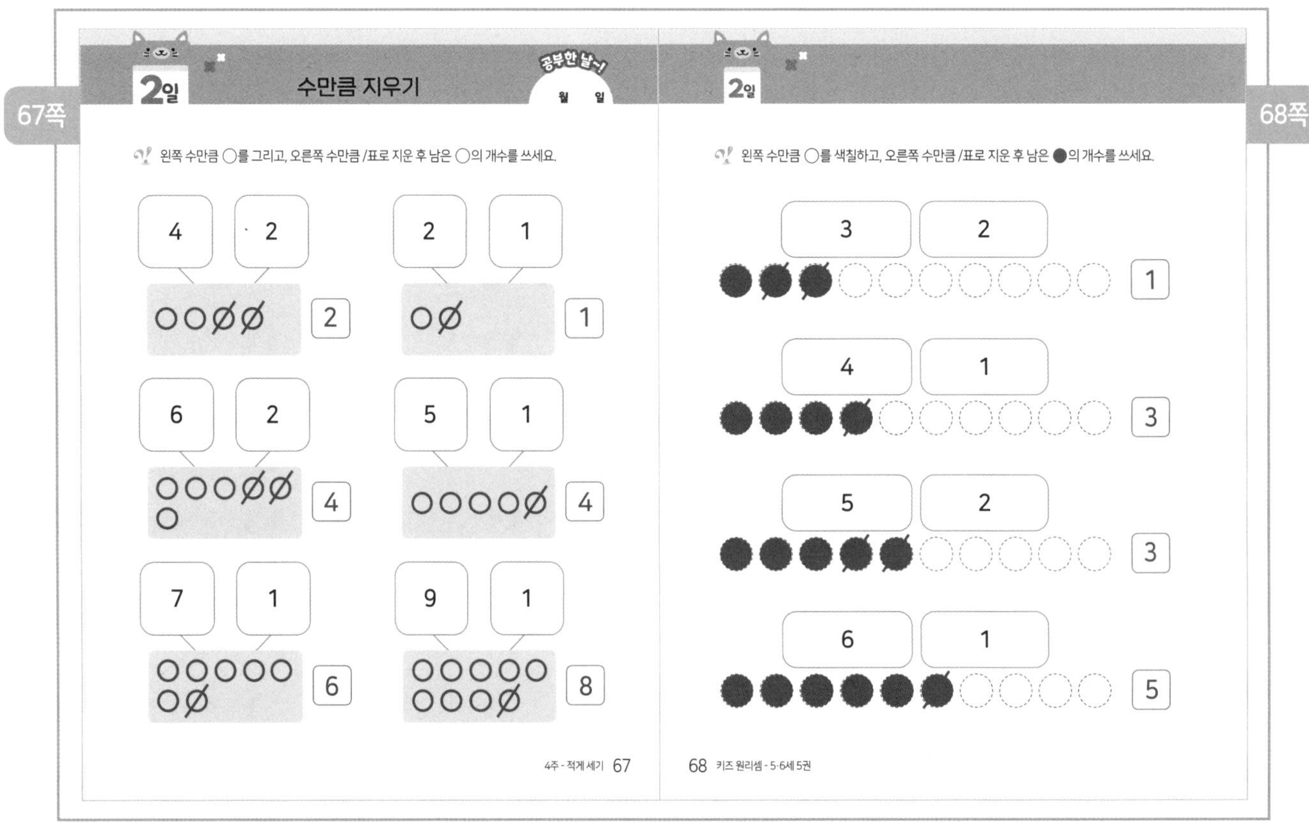
67쪽
2일
수만큼 지우기
공부한 날~!
월 일
왼쪽 수만큼 ○를 그리고, 오른쪽 수만큼 /표로 지운 후 남은 ○의 개수를 쓰세요.
4 2 2
2 1 1
6 2 4
5 1 4
7 1 6
9 1 8
4주 - 적게 세기 67
68쪽
2일
왼쪽 수만큼 ○를 색칠하고, 오른쪽 수만큼 /표로 지운 후 남은 ●의 개수를 쓰세요.
3 2 1
4 1 3
5 2 3
6 1 5
68 키즈 원리셈 - 5·6세 5권

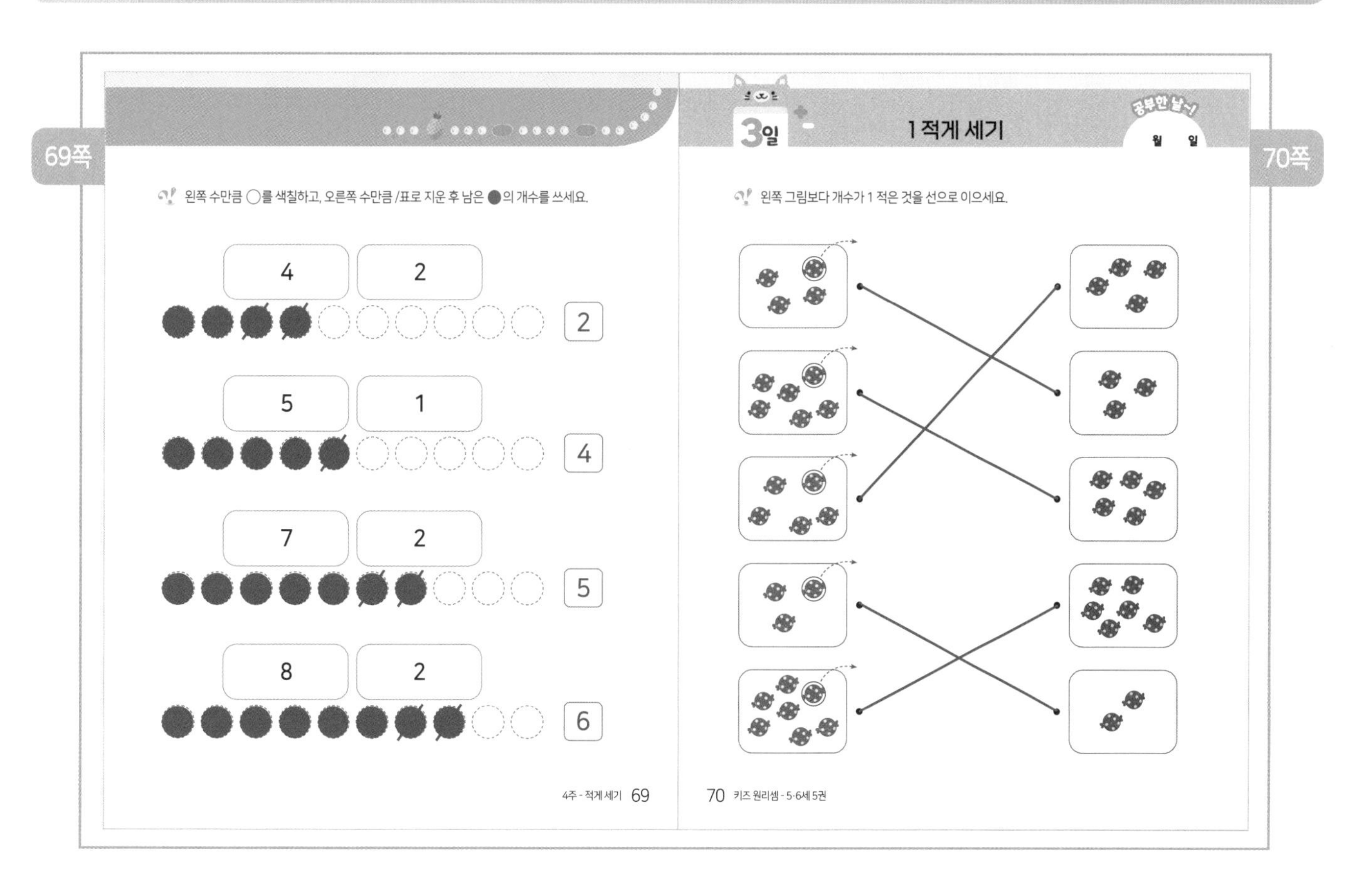
69쪽

왼쪽 수만큼 ◯를 색칠하고, 오른쪽 수만큼 /표로 지운 후 남은 ●의 개수를 쓰세요.

왼쪽	오른쪽	남은 개수
4	2	2
5	1	4
7	2	5
8	2	6

4주 - 적게 세기 69

70쪽

3일 1 적게 세기

공부한 날~! 월 일

왼쪽 그림보다 개수가 1 적은 것을 선으로 이으세요.

70 키즈 원리셈 - 5·6세 5권

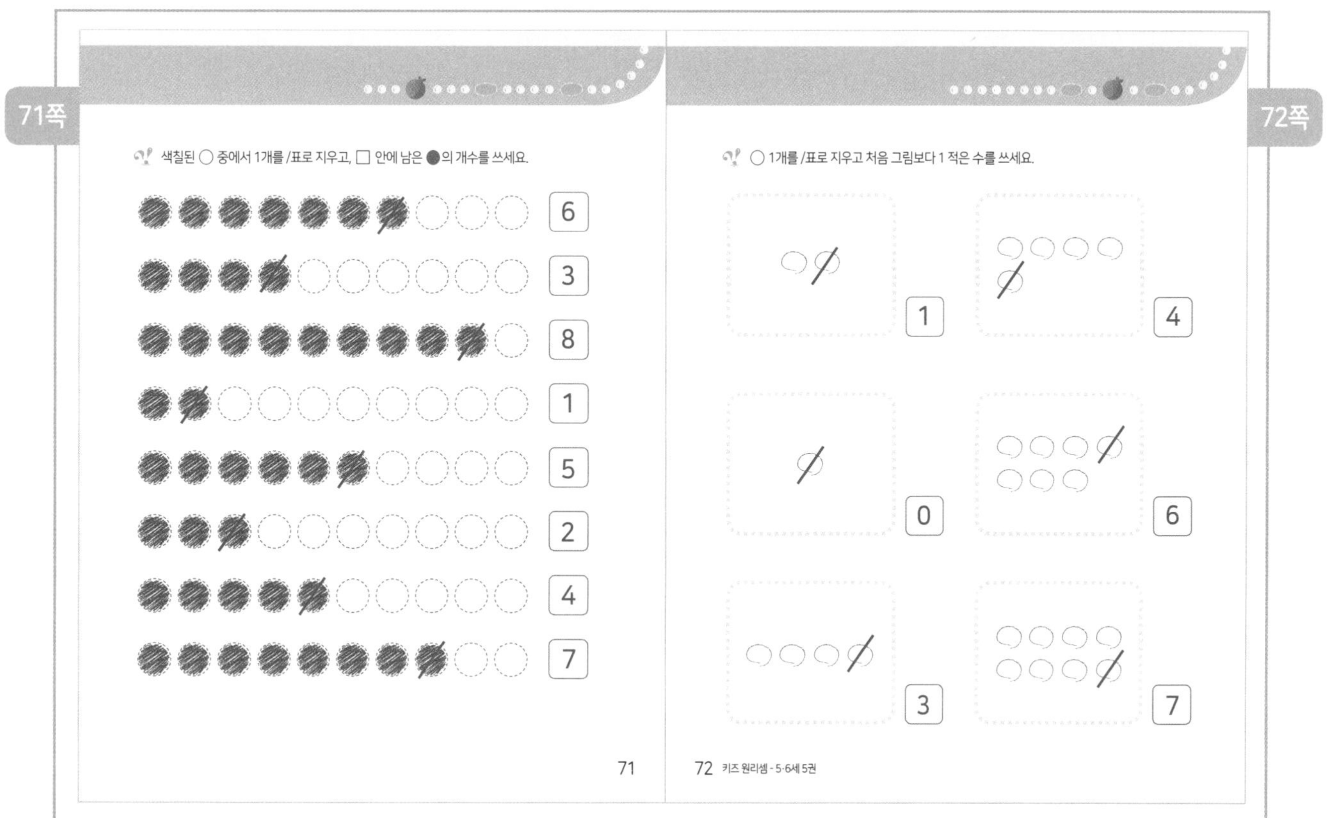
71쪽

색칠된 ◯ 중에서 1개를 /표로 지우고, □ 안에 남은 ●의 개수를 쓰세요.

6

3

8

1

5

2

4

7

71

72쪽

◯ 1개를 /표로 지우고 처음 그림보다 1 적은 수를 쓰세요.

1 4

0 6

3 7

72 키즈 원리셈 - 5·6세 5권

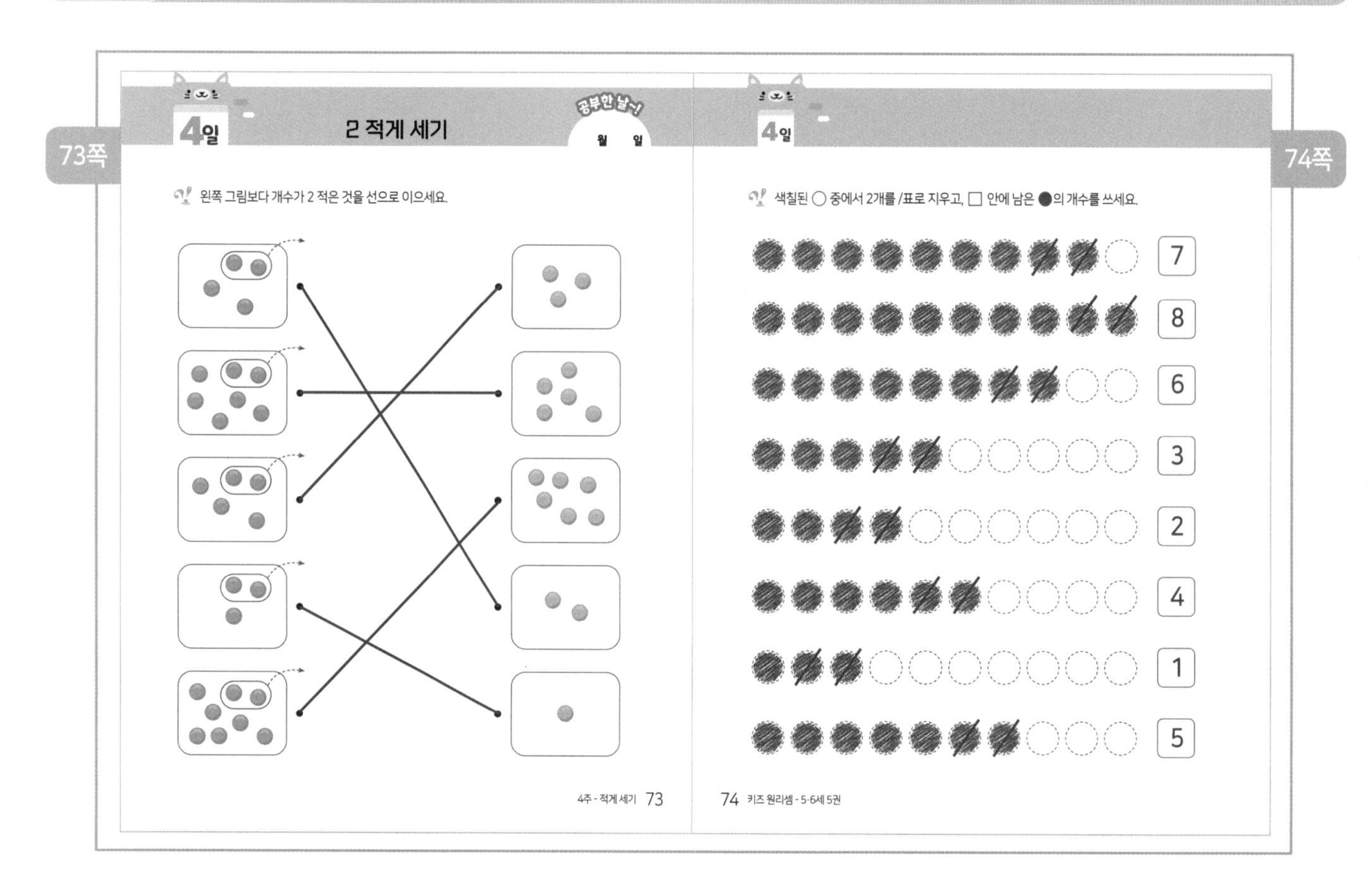
73쪽
4일
2 적게 세기
공부한 날~!
월 일
왼쪽 그림보다 개수가 2 적은 것을 선으로 이으세요.
4주 - 적게 세기 73
74쪽
4일
색칠된 ○ 중에서 2개를 /표로 지우고, □ 안에 남은 ●의 개수를 쓰세요.
7
8
6
3
2
4
1
5
74 키즈 원리셈 - 5·6세 5권

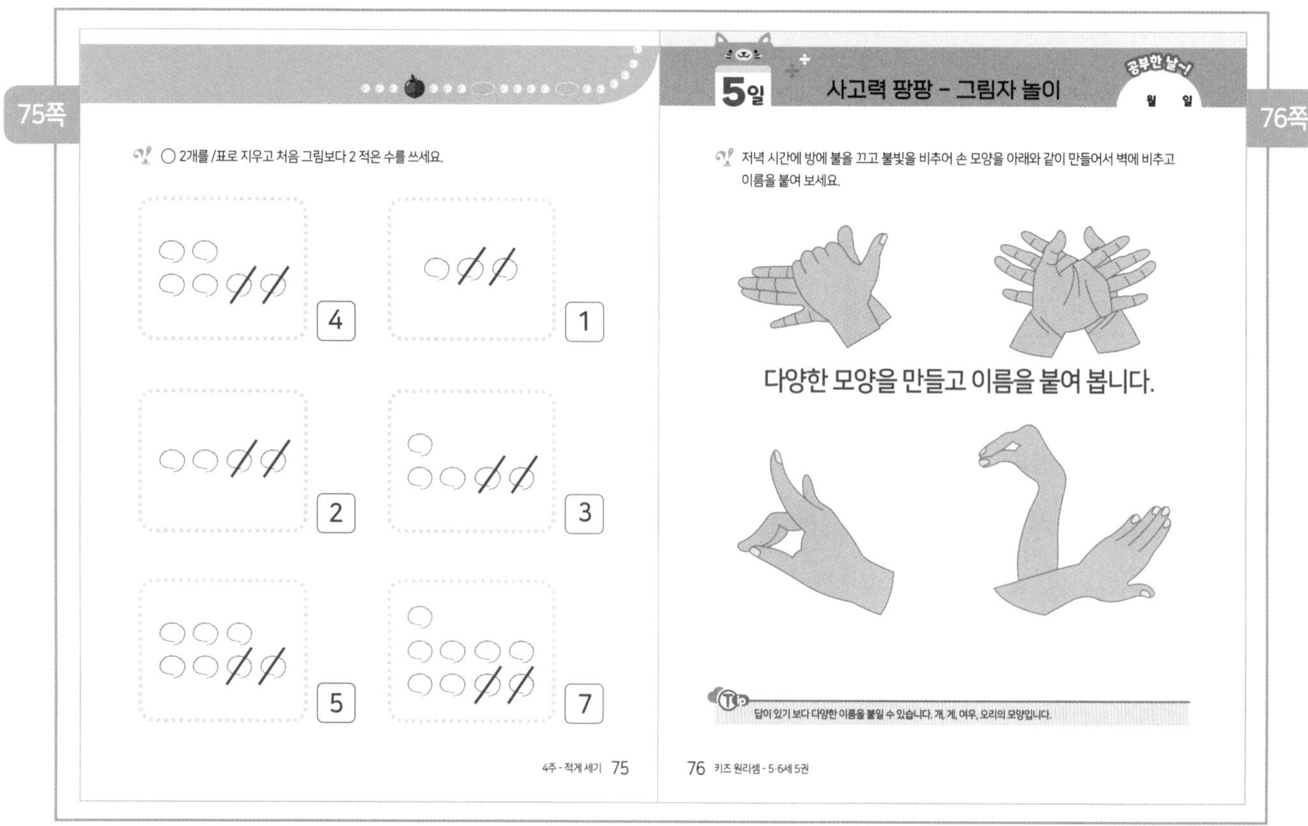
75쪽
○ 2개를 /표로 지우고 처음 그림보다 2 적은 수를 쓰세요.
4
1
2
3
5
7
4주 - 적게 세기 75
76쪽
5일
사고력 팡팡 – 그림자 놀이
공부한 날~!
월 일
저녁 시간에 방에 불을 끄고 불빛을 비추어 손 모양을 아래와 같이 만들어서 벽에 비추고 이름을 붙여 보세요.
다양한 모양을 만들고 이름을 붙여 봅니다.
Tip
답이 있기 보다 다양한 이름을 붙일 수 있습니다. 개, 게, 여우, 오리의 모양입니다.
76 키즈 원리셈 - 5·6세 5권

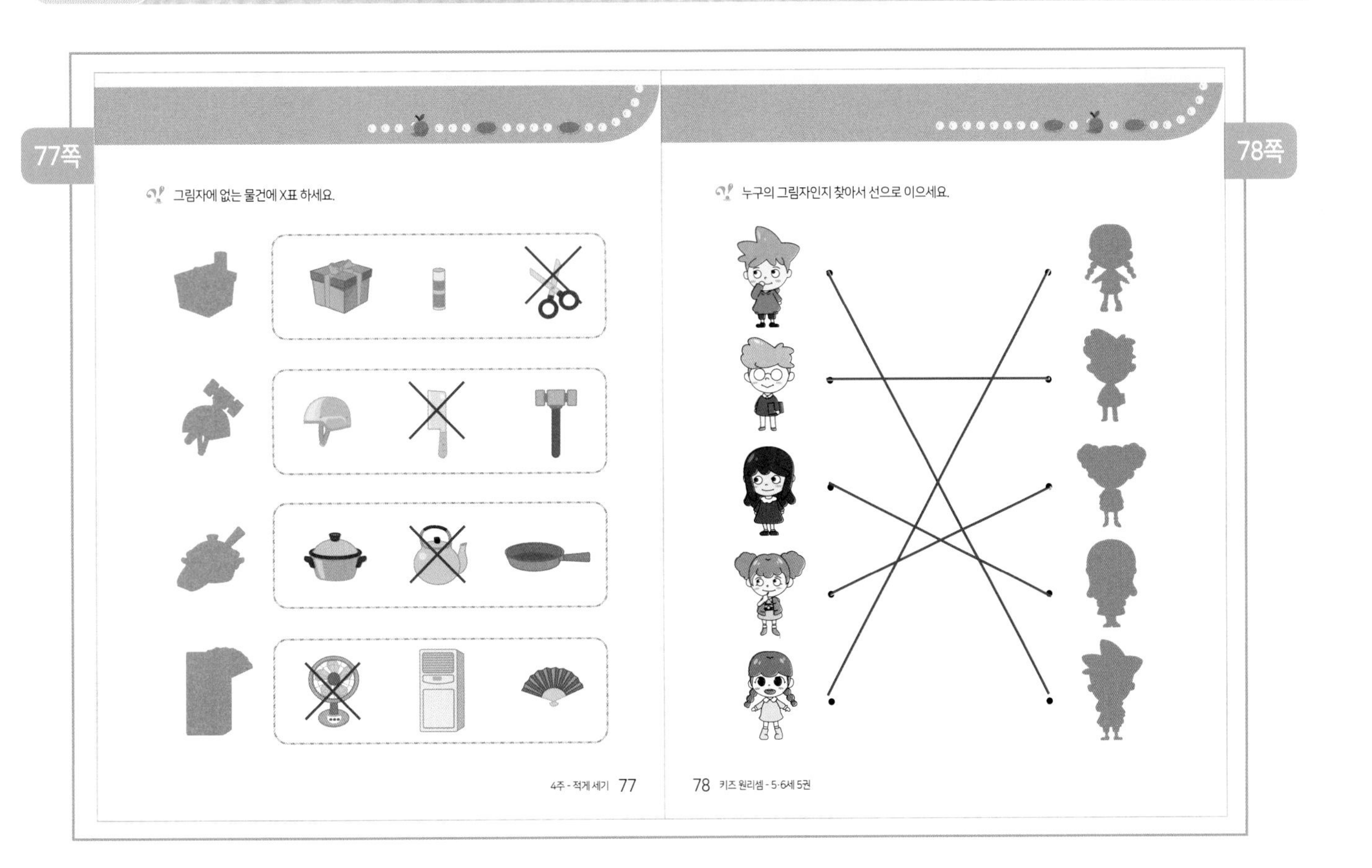
77쪽
그림자에 없는 물건에 X표 하세요.
4주 - 적게 세기 77
78쪽
누구의 그림자인지 찾아서 선으로 이으세요.
78 키즈 원리셈 - 5·6세 5권

세분화된
원리 학습

다양한
유형의 연습

충분한
연습

성취도
확인

천종현수학연구소의 교재 흐름도

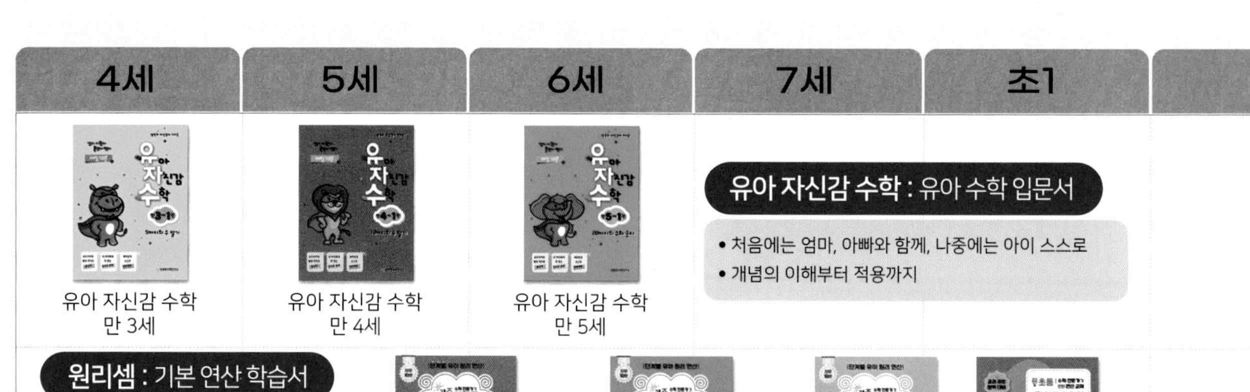

4세	5세	6세	7세	초1

유아 자신감 수학 만 3세

유아 자신감 수학 만 4세

유아 자신감 수학 만 5세

유아 자신감 수학 : 유아 수학 입문서

- 처음에는 엄마, 아빠와 함께, 나중에는 아이 스스로
- 개념의 이해부터 적용까지

원리셈 : 기본 연산 학습서

- 매일 10분씩 원리로부터 실력까지 연산의 완성!!
- 다양한 형태의 문제와 충분한 연습으로 쉽고 재미있게

키즈 원리셈 5, 6세

키즈 원리셈 6, 7세

키즈 원리셈 예비 초등 7, 8세

초등 원리셈 초등1

TOP사고력 : 사고력 수학의 으뜸

- 수학적 직관력 / 문제 이해력 기르기
- 영역별 나선형식 반복 학습 구조

탑사고력 K 단계

탑사고력 P 단계

탑사고력 A 단계

초2	초3	초4	초5	초6

초등 원리셈 초등2

초등 원리셈 초등3

초등 원리셈 초등4

초등 원리셈 초등5

초등 원리셈 초등6

탑사고력 A 단계

탑사고력 B 단계

TOP사고력 : 사고력 수학의 으뜸

- 수학적 직관력 / 문제 이해력 기르기
- 영역별 나선형식 반복 학습 구조

초등 사고력 수학의 원리 및 전략

- 원리의 이해와 문제 해결 전략을 통한 진정한 실력 향상
- 재미있게 읽을 수 있는 초등 사고력 수학의 노하우

초등사고력 수학의 원리

초등사고력 수학의 전략